इस देश में मिलिट्री
शासन लगा देना चाहिए

इस देश में मिलिट्री शासन लगा देना चाहिए

अशोक कुमार पाण्डेय

राजपाल

स्थापित 1912
100 वर्षों की
श्रेष्ठ प्रकाशन परम्परा
राजपाल

₹ 235

ISBN : 9789386534682

प्रथम संस्करण : 2019

© अशोक कुमार पाण्डेय

ISS DESH MAIN MILITARY SHASAN LAGA DENA CHAHIYE (Stories)
by Ashok Kumar Pandey

मुद्रक : जी.एच. प्रिन्टस प्रा.लि., नयी दिल्ली

राजपाल एण्ड सन्ज़

1590, मदरसा रोड, कश्मीरी गेट, दिल्ली-110006
फोन : 011-23869812, 23865483, 23867791
e-mail : sales@rajpalpublishing.com
www.rajpalpublishing.com
www.facebook.com/rajpalandsons

ज्ञानरंजन जी के लिए

ग्रंथी के लिए समर्पित

क्रम

सूची

इस देश में मिलिट्री शासन लगा देना चाहिए

वे चार थे। शायद पाँच-छह भी हो सकते थे। हो सकता है कि जब बाक़ी गुंडे मेरी पिटाई कर रहे थे, दो-तीन यों ही खड़े होकर देख रहे हों। वैसे उनका गुंडा होना भी तय नहीं था। अँधेरा बहुत गहरा था और उस वक़्त उनमें से कोई कुछ नहीं बोल रहा था। पीटने के बाद भी उन्होंने कुछ नहीं कहा और बस चुपचाप हाथ झाड़ते हुए निकल गए, जैसे उन्होंने लायब्रेरी की किसी धूल भरी किताब को अचानक छू लिया हो। उनकी इस चुप्पी से मेरे मन में अचानक कौंधा यह शक़ भी जाता रहा कि कहीं वे उस लड़की के भाई या प्रेमी न हों जिसे पिछले कई दिनों से मैं रोज़ लायब्रेरी में देख रहा था। असल में उसी दिन मैंने उससे पूछा था कि तुमने मुराकामी की *नार्वेजियन वुड्स* पढ़ी है? और वह बिना कुछ कहे मुझे घूरती हुई चली गयी थी। हालाँकि यह मैंने बस उससे बात शुरू करने के लिहाज़ से ही कहा था और इस किताब का नाम मैंने इसलिए लिया था कि मेरे एक दोस्त ने मुझे यह पढ़ने की सलाह दी थी और यह नाम मेरे दिमाग़ में अटका रह गया था। बाद में मैंने दोस्त से पूछा तो उसने कहा कि यह ख़ासी बोल्ड किताब है और तुम्हें एक छोटे शहर की लड़की से पहली बातचीत में ऐसी किताब का नाम नहीं लेना चाहिए था। मुझे जो किताब नार्वे के जंगलों और जानवरों के बारे में लगी थी उसके बोल्ड होने की बात ने मुझे चौंकाया था...और मैंने सोचा था कि अगली बार मैं उससे प्रेमचन्द की किसी किताब के बारे में पूछूँगा, लेकिन मैंने अक्सर फ़िल्मों में देखा था कि लड़की के भाई या प्रेमी जब पीटते हैं तो अंत में ज़रूर ऐसा कुछ कहते हैं कि—'आज के बाद...की ओर नज़र उठा के भी देखा तो ज़िन्दा नहीं छोड़ेंगे।'—लेकिन ये लड़के तो चुपचाप निकल गए और इसीलिए उस बेचारी लड़की को दोष देने का कोई मतलब नहीं था।

उनके जाने के बाद मैंने सबसे पहले अपनी जैकेट ठीक की, फिर मोबाइल की रौशनी में दूर छिटक गयी अपनी फर की टोपी ढूँढ़ कर पहनी। वह टोपी मैंने पिछले साल पास के एक नेपाली से 140 रुपये में ख़रीदी थी। उस दिन मैंने थोड़ी-सी शराब पी थी और फिर ऐसे ही घूमने निकल पड़ा था। जिस होटल में मैं ठहरा था वह एक जैन का था और मुझे उस दिन अंडे खाने का मन कर रहा था। मैं जिस अंडे की दुकान पर रुका वहाँ वह नेपाली भी चार ब्रेड स्लाइस के साथ दो अंडों की भुजिया खा रहा था। यह टोपी उसके गट्ठर से झाँक रही थी। मैंने उससे पूछा—'बेचोगे।' उसने मेरी तरफ़ देखे बिना कहा—'ख़रीद लो।' मैंने दाम पूछा तो उसने दो सौ बताये। मेरी जेब में दो सौ रुपये थे। मन ही मन चालीस के क्वार्टर और बीस की ब्रेड-भुजिया का खर्च जोड़ने के बाद मैंने उससे कहा—'एक सौ चालीस दूँगा।'

उसने कहा—'दे दो।' और मैंने टोपी ख़रीद ली थी। बाद में होटल के मैनेजर ने कहा कि आप अगर सौ कहते तो वह सौ में दे देता। मैंने कहा कि हाँ, मुझे भी यही लगता है। अगर क्वार्टर चालीस की जगह अस्सी का होता या मुझे अद्धा पीने का मन करता तो मैं उसे सौ ही देता। मुझे लगा था कि मैनेजर मुस्कुराएगा, लेकिन वह मेरे जवाब का इंतज़ार किये बिना टीवी देखने में लगा हुआ था जिसकी आवाज़ बन्द की हुई थी और जिसमें कोई लड़की बहुत सारे कपड़े पहने हुए चीख़-चीख़ कर कुछ बोल रही थी। मैं जब भी उस टोपी को देखता तो मुझे उस मैनेजर की याद आती जो दिन भर बिना आवाज़ के टीवी देखता रहता था।

लेकिन उस वक़्त मुझे टोपी पहनते हुए उस मैनेजर की याद नहीं आई थी। बाद में जब उन लड़कों के पीटने के बाद चुपचाप जाने के बारे में सोचता तो मुझे मैनेजर की जगह वो बिना आवाज़ का टीवी याद आता। उस वक़्त तो जैकेट की चेन खींचकर बन्द करने के बाद मैं वहीं किनारे लगे एक मील के पत्थर पर बैठ गया और अंदाज़ लगाने लगा कि चोट कहाँ-कहाँ लगी है। जब मैंने सिगरेट सुलगाने की कोशिश की तो लगा कि होंठ सूज गए थे। कंधे बुरी तरह दुःख रहे थे। हाथों को उन्होंने मरोड़ रखा था और अब वे भी दुःख रहे थे। मुझे आश्चर्य हुआ कि उन्होंने पैरों को बिलकुल छोड़ दिया था और जब मैं चलने को हुआ तो लगा ही नहीं कि पिटाई भी हुई है। मैं सिगरेट फूँकता हुआ सीधा चलने लगा। लेकिन वह शहर इतना अजीब था कि कोई भी सड़क

ज़्यादा दूर सीधी जाती ही नहीं थी। कोई पचासेक क़दम चलने के बाद वह सड़क बाईं तरफ़ मुड़ गयी, फिर सौ-एक क़दम चलने के बाद दाईं ओर फिर और दाईं ओर, फिर मैं ऊब गया और मैंने क़दम गिनना और दिशा तय करना, दोनों ही छोड़ दिया। फिर अचानक मुझे एक मकान के बाहर अलाव जलता दिखा। अब वह दाएँ था कि बाएँ यह तो याद नहीं लेकिन जब मैं उसके पास पहुँचा तो पता चला कि वह शहर की पुलिस चौकी थी, जिसके बाहर ढेर सारी मोटरसाइकिलें पड़ी थीं, जिनसे टायर निकाल कर पुलिसवाले अलाव में डाल-डाल आग तेज़ कर रहे थे। मैं भीतर घुसा तो वहाँ बैठे एक मरघिल्ले से सिपाही ने बिना मेरी ओर देखे कहा कि मुंशी जी सो रहे हैं, सुबह एफ.आई.आर. होगी।

मैंने कहा, 'लेकिन' तो वह भुनभुनाता हुआ भीतर चला गया। फिर थोड़ी देर बाद आया तो बोला—'जाओ।'

मैंने उससे पूछा, 'कहाँ?'

वह बोला—'अन्दर और कहाँ?' मैं अन्दर चला गया। अन्दर एक बड़ा-सा हॉल था। चार-पाँच कुर्सी-टेबल पड़ी थीं। एक तरफ़ अलमारी में ढेर सारी फ़ाइलें पड़ी थीं। धूल और गर्द देखकर मुझे एक बार फिर लायब्रेरी की याद आई।

इसके पहले कि मैं कुछ और देखता, सामने बैठे आदमी ने मेरी ओर देखे बिना कहा—'क्या हुआ है?' मैं उसकी तरफ़ यों ही देखने लगा।

वह फिर बोला—'अब चुप क्यों हो? क्या हुआ? चोरी-डकैती, लड़की भाग गई...बोलो।'

मैंने कहा कि ऐसा कुछ नहीं हुआ...मैं तो...तब उसने मेरी ओर निगाह उठा कर देखा और बोला—'अच्छा-अच्छा...तुम्हारी पिटाई हुई है, किसने पीटा?'

मैंने कहा—'मैं उन्हें जानता नहीं।'

'अच्छा...फिर?' उसने पूछा—'कितने लोग थे?'

मैंने कहा—'गिना नहीं। शायद चार या फिर पाँच।'

'कोई पुरानी दुश्मनी?'

'नहीं।'

'किसी पर शक़?'

'नहीं।'

'ठीक है लिख लिया है जाओ।' उसने कुछ और चीज़ें पूछी थीं और कुछ हिदायतें भी दीं जो मुझे याद नहीं। अलाव का आकर्षण इतना गहरा था कि छूटते ही मैंने पूछा कि क्या मैं थोड़ी देर अलाव के पास बैठ जाऊँ।

उसने कहा, 'चलो मैं भी चलता हूँ।' फिर उस अलाव के पास बैठकर हम तीनों आग तापने लगे। अलाव से टायर की बदबू आ रही थी और धुआँ भी काफ़ी कसैला था। मैंने सिगरेट जलाने के लिए पैकेट निकाला तो उन दोनों ने भी उसमें से एक-एक सिगरेट निकाल ली। फिर वे आपस में बात करने लगे। उस मरघिल्ले सिपाही की आवाज़ इतनी भारी थी कि समझ ही नहीं आता था कि निकल कहाँ से रही है। वह किसी साहब को गाली दे रहा था कि उसका डर नहीं होता तो वह थाने की सिटकनी लगाकर चैन से सो रहा होता। मुंशी किसी लाली की बात कर रहा था जिससे वह चार दिनों से मिलने नहीं जा पाया था। मैं सिगरेट ख़त्म होने के बाद उठा और चलते हुए कहा—'अच्छा, चलता हूँ।' वे दोनों मेरी तरफ़ देखने लगे। मुझे लगा कि मुझे ऐसे नहीं कहना चाहिए था। फिर मैं चुपचाप निकल आया।

~

उस दिन लायब्रेरी में सुबह से कोई नहीं आया। बाहर कुहरा इस क़दर भरा हुआ था कि लगा जैसे सड़कें अपने घुमावों से भ्रमित होकर थोड़ी दूर चलकर ठिठक गयी हैं। चपरासी ने कहा कि अलाव जला लेते हैं।

मैंने पूछा, 'लकड़ियाँ कहाँ हैं?'

उसने कहा, 'हर साल तो उनके लिए अलग से बजट आता है।'

मैंने कहा, 'इस साल तो किताबों के लिए भी नहीं आया।' तो उसने कहा, 'लेकिन लकड़ियाँ तो ज़रूरी हैं ना।' फिर जिस तरह उसने किताबों से भरी अलमारियों की ओर देखा मुझे अचानक थाने के बाहर पड़ी उन मोटरसाइकिलों की याद आई। मैंने फिर कुछ कहा नहीं और अपनी कुर्सी पर बैठकर रजिस्टर उलटने-पलटने लगा। आखिरी एंट्री पाँच दिन पहले की थी जब सरोज बाबू शरत्चन्द्र का उपन्यास *बिराज बहू* इश्यू करा के ले गए थे। मुझे याद आया कि वह पहले भी एक बार यही किताब ले जा चुके थे। सरोज बाबू चार साल पहले नगर निगम से रिटायर हुए थे और जब से मैं आया था

उन्हें लगभग रोज़ सुबह यहाँ अख़बार पढ़ने के लिए आता देख रहा था। देर तक अख़बार पलटते रहते और इधर-उधर देखते रहते। जैसे ही कोई परिचित मिलता उसके बगल में जाकर बैठ जाते थे और धीरे-धीरे खुसर-फुसर करने लगते। फिर दस बजते-बजते निकल जाते। कई बार दोपहर के बाद आते और कोई किताब पलटते-पलटते तब तक घड़ी देखते रहते जब तक चार न बज जाएँ और फिर मेरे साथ ही बाहर निकलते। वह मुझे पास की गुमटी में चाय पिलाने ले जाते और लगातार अपनी बीमारी और बहू के चिड़चिड़ेपन के बारे में बोलते रहते। उनका बंगाली लहज़ा मुझे अच्छा लगता था और अक्सर थोड़ी देर बाद मैं सिर्फ़ उनका लहज़ा सुनता और हाँ-हूँ करता रहता। फिर वह ऊब जाते और चाय की पेमेंट करना भूल कर अचानक उठ कर चल देते।

वह लड़की अक्सर दोपहर में आती थी। कॉलेज से लौटते हुए। उसके कॉलेज की कोई यूनीफ़ॉर्म नहीं थी लेकिन उसके कंधे पर जो बैग होता था वह कॉलेज के विद्यार्थियों जैसा ही होता था। साथ ही वह अक्सर वही किताबें इश्यू कराती थी जो कोर्स के लिए ज़रूरी थीं। एक दिन वह एरिक सैगल की *लव स्टोरी* निकाल कर ले आयी तो उसे दुपट्टे में ऐसे लपेट कर लाई जैसे मेडिकल स्टोर पर सैनिटरी नैपकीन ख़रीदनेवालों को दुकानदार काले पॉलीथिन में डालकर दिया करते हैं। मैंने रजिस्टर पलटा तो यह कोई तीन महीने पहले की बात थी। उसने तीसरे दिन ही किताब वापस कर दी थी। वापस की तो उस पर बाँस पेपर की जिल्द लगी हुई थी। मैंने पूछा था—'पढ़ लिया।'

उसने कुछ कहा नहीं। बस मुझे देखा और जल्दी से लौट गयी। वह शायद गूँगी थी। मैंने सोचा कि वह आयेगी तो इस बार यही पूछूँगा कि क्या तुम गूँगी हो? लेकिन गूँगा कहने से वह बुरा मान सकती थी। गूँगे के लिए दूसरा कौन-सा शब्द हो सकता था? मैं शब्दकोश उठा कर ढूँढ़ने लगा। उसमें 'गू' के बाद वाला पेज फटा था। मैंने सोचा, 'ज़रूर किसी गूँगे ने ही फाड़ा होगा।'

सरोज बाबू नहीं आये उस दिन। कोई भी नहीं आया। मैंने कुछ किताबें पलटीं। फिर एक रैक की किताबें तरतीब से लगाईं। सिगरेट पी। चारो अख़बार पढ़ डाले। उनमें से एक में ख़बर थी कि कल रात कुछ अनजान लोगों ने एक आदमी को पीटा। मैंने ग़ौर से पढ़ा तो मेरा कहीं नाम नहीं था। मुझे निराशा-सी

हुई। अंतिम लाइन में लिखा था कि पुलिस ने...फिर ख़बर कट गयी थी। उसके ठीक नीचे शहर में लगी सेल का विज्ञापन था जहाँ दो हज़ार की जैकेट तीन सौ, पन्द्रह सौ का स्वेटर दो सौ और दो सौ की टोपी पचास रुपये में मिल रही थी। मुझे फिर निराशा हुई। मैंने अपनी टोपी निकाल कर टेबल पर रख दी। फिर ठंड ज़्यादा लगने लगी तो पहन ली। टोपी पहनकर बाहर निकला तो चपरासी आस-पास से कुछ उपले और पुराने अख़बार जला कर ताप रहा था। मैं भी उसकी बगल में बैठ गया। तभी सामने से वह लड़की आती दिखाई दी तो मैं उठकर खड़ा हो गया। मैं उसके पीछे-पीछे अन्दर जाकर अपनी टेबल पर जाने की सोच रहा था, लेकिन वह दरवाज़े की तरफ़ जाने की जगह सीधे मेरे सामने आकर खड़ी हो गयी। वह गूँगी नहीं थी। पर उसने जो कहा वह इतना धीमा था कि मैं सुन नहीं पाया। उसने फिर कहा, 'अरे आपको चोट कैसे लगी।' उसने शायद पहली बार भी यही पूछा था। उसकी बात सुनकर चपरासी भी मेरी तरफ़ देखने लगा। मुझे याद नहीं कितने दिनों बाद उसने मुझे ऐसे देखा था। मैंने भी पहली बार देखा कि उसकी मूँछों के बीचोबीच एक छोटी-सी फुड़िया उगी थी। मैंने उससे पूछा कि अरे, तुम्हारे चेहरे पर फुड़िया कब उगी। उसने कहा कि तीन दिन हो गए। मैंने कहा कि मुझे चोट लगे बस सोलह घंटे हुए हैं। लड़की ने फिर कहा, 'पर चोट लगी कैसे?'

मैंने कहा, 'रोड पर स्लिप कर गया था।' फिसलने का वह पता नहीं क्या मतलब निकालती।

लड़की ने कहा कि किसी डॉक्टर से पट्टी करा लीजिए। हमारे मोहल्ले में एक लड़के को ऐसे ही चोट लगी थी तो उसे टिटनेस हो गया था। एक और अंकल का घाव इतना गहरा हो गया कि पैर काटना पड़ा।

चपरासी ने कहा कि उन्हें शुगर होगी।

उसने कहा कि आपको नहीं है क्या?

मैंने कहा, 'नहीं।'

उसने कहा कि आजकल कुहरे से सड़क पर बहुत नमी रहती है। कल उसके एक अंकल भी फिसल गए थे। मुझे 'फिसल' सुनकर कुछ अजीब नहीं लगा। मैंने पूछा कि कौन-सी किताब निकालूँ? उसने कहा कि कल आप बता रहे थे ना जो किताब, मुरामी की, वही।

मैंने कहा, 'मुरामी नहीं मुराकामी।' उसने कहा, 'वही, जो जंगल के बारे में थी।'

मैंने कहा कि वह आने वाली है। ऑर्डर भेजा है।

चपरासी ने पूछा, 'किताबों का बजट आ गया क्या?'

मैंने कहा, 'हाँ।' चपरासी ने कहा कि फिर लकड़ी का बजट भी आ जाएगा। झूठ बोलने के बीच मैंने सोचा कि उसके विचार मुझसे कितने मिलते हैं। मैं मुस्कुराया। वह लड़की भी मुस्कुराई। फिर वह रैक में कोई किताब ढूँढ़ने लगी। वह लौटी तो उसके हाथ में *दिव्या* थी। मैंने पूछा कि तुम्हें यशपाल पसंद हैं?

उसने कहा, 'नहीं, मेरा नाम भी दिव्या है।'

दो बजते-बजते सरोज बाबू भी आ गए। उनके साथ एक और आदमी था। उसकी शक्ल भी सरोज बाबू जैसी थी। मुझे लगा कि वह उनका जुड़वाँ भाई होगा। लेकिन सरोज बाबू ने बताया कि वह उनके दफ़्तर से उसी दिन रिटायर हुआ था। सरोज बाबू उसे सीधे यहीं लेकर आये थे। साहब ने उसे रिटायरमेंट के दिन लंच में ही छोड़ दिया था। वह आधे दिन की अतिरिक्त छुट्टी पाकर बहुत खुश थे, लेकिन रिटायरमेंट से उदास थे। उनके चेहरे पर दोनों भाव एक-दूसरे से कटम-कट्टी खेल रहे थे। मैंने उनसे पूछा कि मेंबर बना लूँ?

उन्होंने पूछा, 'कितने पैसे लगेंगे?'

मैंने कहा, 'सौ रुपये साल भर के।'

वह रिटायरमेंट की याद में उदास हो गए। बोले, 'दफ़्तर में अख़बार फ्री में पढ़ लेता था,' फिर कहा, 'बना लीजिए।' मैंने रसीद काट दी। उन्होंने पैंट की चोर जेब से एक लिफ़ाफ़ा निकाला। फिर उसमें से नोटों का पुलिंदा निकाला। एक-एक नोट देखा। फिर सबसे पुराना नोट निकाल कर मेरी तरफ़ बढ़ाया। इसके बाद उन्होंने तीन अख़बार पढ़े। चौथा उनके दफ़्तर में आता था। साढ़े तीन बजे तक तीनों अख़बार ख़त्म हो गए तो चौथा भी फिर से पढ़ा। चार बजे जब सरोज बाबू ने चाय पिलाने की बात कही तो मैं नहीं गया। मैं तीन चाय के पैसे नहीं देना चाहता था।

दूसरे दिन से वह सरोज बाबू के साथ रोज़ आने लगे। वह रोज़ चारों अख़बार पढ़ते। सरोज बाबू भी अख़बार पढ़ते। किताब घर ले जाकर ही पढ़ते। मैं भी रोज़ चार अख़बार पढ़ता। अगले दिन मैंने फिर देखा कि वैसी ही ख़बर छपी थी। ग़ौर से देखा तो हू-ब-हू वही ख़बर थी। मुझे उस दिन जिसका नाम नहीं छपा उसके ऊपर दया आई। बलात्कार के बाद की ख़बरों

में कोई और नाम देकर कोष्ठक में 'बदला हुआ नाम' लिख दिया जाता है। लेकिन जिनकी पिटाई हुई उनका नाम न देना तो ग़लत है ना। मैंने वह ख़बर दुबारा पढ़ी। इस बार नीचे से एक और लाइन कट गयी थी। सेल में अब एक जैकेट के साथ एक टोपी मुफ़्त मिल रही थी। इसकी सूचना ऊपर बोल्ड में दी गयी थी। यह सूचना 'सेल धमाका' के बाद थी। मैंने उस दिन किसी को इस बारे में नहीं बताया।

लेकिन अगले दिन फिर वही ख़बर छपी। इस बार नीचे की तीन लाइनें कट गयी थीं। अब टोपी स्वेटर के साथ भी मुफ़्त मिल रही थी। मैंने सोचा कि एक स्वेटर और एक जैकेट ख़रीद लेता हूँ और सरोज जी और उनके दोस्त को एक-एक टोपी दे दूँगा। लेकिन इस महीने तनख़्वाह अब तक नहीं आई थी। वह दस तारीख़ को मिलती थी। मैंने पिटाई वाली ख़बर की लाइनें गिनीं। अब सात बची थीं। दस तारीख़ आते-आते यह ख़बर गायब हो जायेगी। मेरे चेहरे पर मुस्कुराहट आ गयी। मुझे देखते देख सरोज जी उठ कर मेरे पास आ गए। उस दिन हॉल में उनका कोई परिचित नहीं था। मेरे पास आकर बोले कि अख़बार में ख़ुश होने वाली ख़बर कहाँ है? मैं तो कई दिन से ढूँढ़ रहा हूँ। मुझे मिली ही नहीं। मैंने कुछ नहीं कहा। मेरी अँगुली उसी ख़बर पर रह गयी थी। उन्होंने कहा, 'इसमें हँसने वाली क्या बात है। एक बेचारे आदमी को कुछ गुंडों ने पीट दिया और आप खुश हो रहे हैं।' मैंने कहा, 'यह ख़बर चार दिन से रोज़ आ रही है।'

उन्होंने कहा, 'ऐसा कैसे हो गया। अख़बार में तो रोज़ नई ख़बर छपती है।'

मैंने कहा, 'लेकिन यह ख़बर रोज़ छप रही है, बस नीचे से एक लाइन कम हो जाती है।'

उन्होंने कहा कि इसमें भी ख़ुश होने वाली कोई बात नहीं है। मैंने चेहरा गम्भीर बना लिया, लेकिन तभी वह लड़की आ गयी और मैं फिर मुस्कुराने लगा। सरोज बाबू को अच्छा नहीं लगा, वह वहीं बैठ गए। लड़की ने वह उपन्यास वापस कर दिया। मैंने पूछा, 'कैसा लगा।' वह कुछ नहीं बोली। बस रैक से जैनेन्द्र कुमार की किताब *सुनीता* ले आई।

मैंने पूछा 'क्या आपकी बहन का नाम सुनीता है।' उसने फिर कुछ नहीं कहा। मैंने किताब इश्यू की और वह चली गयी। मुझे सरोज बाबू पर गुस्सा आया। मेरा चेहरा गम्भीर हो गया। बाद में मैंने सोचा कि दिव्या की

बहन सुनीता कैसे हो सकती है! मुझे फिर अपने-आप पर गुस्सा आया। मैं लायब्रेरी से बाहर निकल आया और सिगरेट पीने के लिए निकाली। माचिस भी निकाली। लेकिन उसमें तीली ख़त्म हो गई थी। मैंने चपरासी से माचिस माँगी। उसने अलाव से एक लुत्ती निकाल कर दे दी। उसकी फूड़िया सूख गई थी। ऐसा लगता था कि उसकी मूँछों के बीचोबीच बँटवारे की दीवार खिंच गई थी। मैं फिर मुस्कुराया। इसी बीच लुत्ती से मेरी उँगली जल गयी। मैं फिर उदास हो गया।

~

शुक्रवार को लायब्रेरी बन्द रहती थी। गुरुवार की रात मैं देर तक जगा रहा। कुछ किताबें लायब्रेरी से उठा लाया था। एक का ब्लर्ब पढ़ा। दूसरी एक कविता की किताब थी। उसमें एक बूढ़े कवि ने बारह पेज़ की भूमिका लिखी थी। मैंने भूमिका पढ़ी। फिर किताब पढ़ने का मन नहीं हुआ। तीसरा उपन्यास था। उसके पहले चार पन्ने पढ़े और फिर अंतिम तीन पन्ने पढ़ कर रख दिया। फिर चाय के लिए पानी चढ़ाया। लेकिन चायपत्ती डालने के पहले टोपी निकालने के लिए अलमारी खोली तो देखा थोड़ी-सी रम बची थी। मैंने गुनगुने पानी के साथ रम पी और सोचने लगा। पीने के बाद मुझे पत्नी की याद आने लगी। वह होती तो सारी किताबें चाट जाती। उसे किताबों से प्यार था लेकिन लायब्रेरी से नफ़रत। असल में उसे लायब्रेरी से नहीं इसकी नौकरी से नफ़रत थी। उसने तलाक़ लेते समय कहा था कि असल में उसे मुझसे कोई समस्या नहीं थी। बस उसे यह नौकरी नहीं पसंद थी। उसने कहा कि अगर बच्चा हो गया होता तो वह तलाक़ नहीं देती। फिर उसने एक बैंक मैनेजर से शादी कर ली। उस मैनेजर के पहले से दो बच्चे थे।

पत्नी की याद आने के बाद मुझे थोड़ी और शराब पीने का मन करने लगा। मैंने पर्स देखा तो बस तीन सौ रुपये बचे थे। मैंने सोचा कि चलो देशी का क्वार्टर ही पी लेते हैं। अंग्रेज़ी की तो बोतल आर्मीवाले तीन सौ की देते हैं। मुझे गुस्सा आया कि ये आर्मीवाले क्वार्टर क्यों नहीं बेचते। मुझे बहुत गुस्सा आया। मैंने सोच लिया कि इस बार चुनाव में विपक्षी पार्टी को वोट दूँगा। फिर याद आया कि विपक्षी पार्टी की सरकार थी तब भी आर्मीवाले क्वार्टर

नहीं बेचते थे। मुझे बहुत गुस्सा आया। मैंने कहा कि 'इस देश में मिलिट्री शासन लगा देना चाहिए।' फिर मैं देशी खरीदने चला गया।

ठेका थोड़ी दूरी पर था। वहाँ पहुँचने से पहले सड़क चार बार मुड़ती थी। पहले डेढ़ सौ क़दम बाएँ, फिर नब्बे क़दम दाएँ, फिर एक सौ चालीस क़दम बाएँ और फिर पंचानवे क़दम और बाएँ। मैं पहुँचा तो ठेका बन्द होने वाला था। ठेके के मैनेजर की बीवी एक ट्रकवाले से हँस-हँस के बात कर रही थी। मैंने सोचा कि उसके चार बच्चे हैं। उनका कतई तलाक़ नहीं होगा। मैंने उसे चालीस रुपये दिए। उसने मुझे भी बोतल के साथ मुस्कुराहट का एक टुकड़ा दिया। मैंने सोचा, 'यह बुरी औरत नहीं है।' मुझे उस लड़की की याद आई और मैं भी मुस्कुराने लगा।

उसने कहा, 'आज कोई खाली नहीं है। इधर मार्केट में बहुत डिमांड है। कल आना। पक्का कर दूँगी इन्तज़ाम।'

मैंने कहा, 'बोतल दे तो दी।' उस औरत ने कुछ नहीं कहा और मुस्कुराना भी बन्द कर दिया।

उसका पति बिलकुल मेरे पास आ गया और बोला, 'अभी चलो यहाँ से। रात को दस बजे के बाद पुलिस आजकल छापा मार देती है। नया पुलिस कप्तान बहुत कमीना है। दारू भी नहीं पीता।' लेकिन औरत ने अब भी कुछ नहीं कहा। मैंने कुछ नहीं कहा, लेकिन मैं फिर उदास हो गया। मुझे याद आया कि उस दिन यहाँ से निकल कर सत्तर, अस्सी और एक सौ बीस कदमों के बाएँ, बाएँ और दाएँ मोड़ के बाद वह जगह आती थी जहाँ उन लड़कों ने मेरी पिटाई की थी। मुझे फिर वहाँ जाने का मन किया। लेकिन मैं जल्दी में टोपी पहनना भूल गया था। ठंड बहुत थी। मैं वहाँ नहीं गया। कमरे में लौटा तो लाइट चली गयी। मैंने क्वार्टर ठंडे पानी से ही पी ली। साथ में उबला अंडा खाया। बाद में याद आया कि उसके लिए तो पानी गरम किया ही था। मुझे बहुत अफ़सोस हुआ।

~

उस रात मुझे बहुत सारे सपने आये। एक सपने में मेरी पत्नी के पेट से ढेर सारे बच्चे निकल रहे थे। मैनेजर उन्हें नोटों की तरह थूक लगा-लगा के गिन

रहा था। मैं काउंटर पर से चिल्ला रहा था कि मेरा चेक अब तक क्लियर नहीं हुआ। तभी वह लड़की काउंटर पर आ गयी। उसने कहा कि तुम्हारे सिग्नेचर मिल ही नहीं रहे। मैंने उससे कहा, 'लेकिन तुम मुझे पहचानती हो!' उसने कहा, 'मैं तुम्हें नहीं पहचानती। तुम्हारे माथे पर तो चोट का निशान भी नहीं है।' वे चार-पाँच लोग लाइन में मेरे पीछे थे, उन्होंने कहा कि तुम कहो तो हम तुम्हारे माथे पर निशान बना देते हैं। तुम्हारा चेक क्लियर हो जाएगा और हमारा नम्बर भी आ जाएगा। मैंने कहा बना दो। उन्होंने निशान बना दिया। निशान बनते ही लड़की मैनेजर के केबिन में मुझे हाथ पकड़ के ले गई और बहुत सारा प्यार किया। जब मैंने उसे चूमने के लिए होंठ बढ़ाए तो उसने कहा कि नहीं, इससे बच्चा हो जाता है और मुझे अभी बच्चा नहीं चाहिए। मैंने उससे कहा कि बच्चा नहीं, होगा तो तुम तलाक़ दे दोगी। उसने कहा, 'मैं बच्चों की डॉक्टर बनना चाहती थी, लेकिन अब मैंने महिला एवं बाल कल्याण विभाग में संविदा सहायिका पद के लिए अप्लाई किया है।' मैंने कहा कि वहाँ तो मेरा कोई परिचित नहीं है। उसने कहा, 'मैं इंटरव्यू देने सलवार सूट में जाऊँगी।' मैंने कहा कि ब्रा सफ़ेद ही पहनना। तुम्हारा सूट हल्के गुलाबी रंग का है और उसमें से काली ब्रा दिखाई देगी। उसने कहा कि दुपट्टा रफ़ू कराने को दिया है कल तक मिल जाता तो मैं इंटरव्यू में वही सूट पहन के जाती। फिर उसने कहा कि अब मुझे जाना होगा। तीन बजे पानी चला जाएगा तो कपड़े धुल नहीं पाएँगे।

मैंने कहा, 'जब से टोपी खरीदी है मैंने तो उसे धोया ही नहीं।'

उसने कहा, 'अगर नौकरी मिल गयी तो मैं तुम्हें चूमने से रोकूँगी नहीं।'

मैंने कहा, 'हम अपनी बिटिया का नाम सुनीता रखेंगे।' उसने कहा, 'लड़का हुआ तो उसका नाम यशपाल नहीं रखेंगे।'

~

सुबह उठा तो कड़क काली चाय बनाई। रोज़ मैं चाय बनाने से पहले घड़ी देखता था। शुक्रवार को चाय के बाद घड़ी देखी। मेरे पास एच.एम.टी. की एक घड़ी थी। लेकिन उसमें चाबी नहीं भरनी पड़ती थी। वह घड़ी मुझे शादी में मिली थी। तलाक़ के समय मैं उसे वापस करना चाहता था, लेकिन पत्नी

ने कहा, 'रहने दो।' ऐसा कहते-कहते उसने मेरा हाथ भी पकड़ा था और कहा था कि अपना ख़याल रखना। उसके बाद से आज तक किसी औरत ने मेरा हाथ नहीं पकड़ा। मैंने घड़ी देखी तो दस बज रहे थे। मैंने सोचा, 'नहा लूँ।' पर नहीं नहाया। शुक्रवार का अख़बार मैं शनिवार को पढ़ता था। टोपी से गुम्साइन गंध आ रही थी। मेरे कमरे में खिड़की से धूप का एक खरगोश रोज़ थोड़ी देर के लिए आता था। मैं उसे गोद में लेकर बैठता था और उससे बात भी करता था। उस दिन मैंने उसके साथ टोपी को भी बिठा लिया तो वह नाराज़ हो गया और जल्दी चला गया। मुझे भूख लग रही थी। मैंने देखा कि टोकरी में थोड़ी मटर बची हुई है। मैंने सोचा कि घुघनी बना लूँ। रोटी बनाने का मन नहीं कर रहा था। मैंने सोचा कि ब्रेड ख़रीद लूँगा। मटर छील ही रहा था कि दरवाज़े पर खट-खट हुई। खोला तो वही मरघिल्ला पुलिसवाला था। दरवाज़ा खुलते ही वह अन्दर घुस आया और कुर्सी पर बैठ गया। उसने पूछा, 'पहचाना।'

मैंने कहा कि तुम वही सिपाही हो। उसने कहा, 'चलो अच्छा है। आजकल बिल्डिंगों के दरबान भी हमारे जैसे कपड़े पहन के घूमते हैं।' मैंने कहा कि यह तो ग़लत है। उसने कहा कि यह तो अच्छा है कि सरकार ने हमारे लिए अलग कॉलोनी बनाई है, वरना अगर मैं अपने बाप के घर में रहता तो लोग मेरी और मेरे भाई की बराबर इज़्ज़त करते। मैंने उससे कहा कि सरकार ने हमारे लिए कोई कॉलोनी नहीं बनाई और यहाँ मेरे बाप का घर भी नहीं। यह कमरा किराए का है। उसने चारों तरफ़ देखकर कहा कि मुझे मटर बहुत पसंद है, लेकिन मेरी बीवी को निमोना बनाना नहीं आता।

मैंने कहा, 'लेकिन मैं तो घुघनी बना रहा हूँ।' उसने कहा, 'मेरी बीवी भी घुघनी बनाती है लेकिन हरी मिर्च बहुत डाल देती है।'

मैंने पूछा कि आपके बच्चे हैं? उसने कहा कि एक बेटा है, दूसरा होने वाला है। मैंने कहा कि फिर तो अच्छा है। उसने कहा, 'तुम्हारे घर में किताबों की बदबू आती है।' मैंने कहा, 'तुम्हारी देह से भी टायर की बदबू आती है।' उसने कहा कि एक रात उसकी बीवी ने भी यही कहा और दूसरे कमरे में सोने चली गयी। मैंने कहा, 'लेकिन तुम्हारे बच्चे हैं ना तो कोई बात नहीं।'

उसने कहा, 'यह तो है' और चार दाना कच्ची मटर मुँह में डाल लीं।

मैंने पूछा, 'यहाँ का पता कैसे मिला?'

उसने कहा, 'उस दिन मुंशी जी ने पूछा था ना तुमसे।'

मैंने कहा, 'उस रात बहुत ठण्ड थी।'

उसने कहा, 'इसीलिए तो मुंशी जी सो गए थे। उनको घुटने की समस्या है, लेकिन कप्तान साहब समझते ही नहीं हैं। अगर किसी ने एफ.आई.आर. न लिखने की शिकायत कर दी तो बवाल मचा देते हैं। इसीलिए तो तुम्हारी एफ.आई.आर. लिखने अन्दर भेजा था, लेकिन उनकी पेन में स्याही नहीं थी तो उन्होंने पेन्सिल से तुम्हारी जानकारी लिख ली थी।'

मैंने कहा, 'क्या मुझे पीटने वाले पकड़े गए।'

उसने कहा, 'अरे नहीं।'

मैंने पूछा, 'तो क्या तुम मुझे गिरफ़्तार करने आये हो।' उसने कहा कि नहीं गिरफ़्तार करना होता तो एक और साथ में आता।

मैंने कहा, 'फिर क्या बात है?'

उसने कहा, 'उस दिन के बाद से रोज़ लगभग उसी वक़्त एक आदमी आता है वही शिकायत लेकर।' मैंने पूछा, 'एक ही आदमी रोज़ आता है।' उसने कहा कि नहीं, रोज़ कोई नया आदमी आता है।

मैंने कहा, 'लेकिन समाचार तो रोज़ एक ही आता है।'

उसने कहा, 'समाचार लिखने वाला भी तो एक ही है ना।'

मैंने कहा, 'वह तो है।'

उसने कहा, 'कप्तान साहब तुमसे मिलना चाहते हैं।'

मैंने कहा, 'आ जाऊँगा।'

उसने कहा, 'अभी चलो।'

मैंने कहा, 'घुघनी तो खा लूँ।'

उसने कहा, 'मटर तो सारी मैं खा गया अब घुघनी कैसे बनाओगे।'

मैंने कहा, 'लेकिन मुझे भूख लगी है।'

उसने कहा, 'रास्ते में समोसा खा लेना।'

मैंने सोचा, 'इसके पैसे भी देने पड़ेंगे।' मुझे बहुत गुस्सा आया। मैं उदास हो गया। मैंने टोपी भी नहीं लगाई।

उसके पास साइकिल थी। लेकिन मुझे उसके पीछे बैठने में डर लगा। मैंने कैरियर पर बैठने से पहले उससे पूछा, 'तुम मुझे खींच पाओगे।' उसने कहा, 'जो चार हज़ार में गृहस्थी की गाड़ी खींच सकता है वह कुछ भी खींच सकता है।'

मैं साइकिल पर बहुत दिनों बाद बैठा था। साइकिल पर बैठना मुझे अच्छा नहीं लग रहा था। साइकिल दायें-बायें मुड़ती जा रही थी और मैं क़दम भी नहीं गिन पा रहा था। मैंने सोचा, 'पहिये का घूमना गिनूँ,' लेकिन पता ही नहीं चल पा रहा था कि पहिया किस जगह से चक्कर शुरू करता और किस जगह ख़त्म। रास्ते में दो-तीन लोग मिले जो रोज़ लायब्रेरी में आते थे। उन्होंने ज़ोर से नमस्कार किया। ये लोग लायब्रेरी में मुझे कभी नमस्कार नहीं करते थे। मुझे लगा कि पुलिस की साइकिल पर बैठकर मेरी इज़्ज़त बढ़ गयी है। मैं मुस्कुराने लगा। उसने समोसे की दुकान पर साइकिल रोकी। मैंने कहा, 'मैं समोसा नहीं खाऊँगा, मेरा पेट ख़राब हो जाता है।' उसने कहा, 'उसका पेट बहुत मज़बूत है। साइकिल चलाने से पाचन ठीक रहता है।' उसने चार समोसे खाए। खाने के बाद वह हाथ धोने कोने में चला गया। समोसेवाले ने मुझसे कहा, 'दस रुपये हुए।' मैंने कहा, 'समोसा तो दो रुपये का आता है।' उसने कहा, 'एक समोसे की उधारी कल की थी।' मैंने कहा, 'उधारी मैं क्यों चुकाऊँ।' उसने कहा, 'मान लो एक समोसा तुमने खा लिया।' मैंने कहा, 'लेकिन मैंने तो समोसा खाया ही नहीं।' उसने कहा, 'खाया होता तो पैसा देते ना?' मैंने उसे दस रुपये दे दिए। तब तक वह मरघिल्ला लौट आया। उसने कहा, 'आज सुबह बीवी ने नाश्ता ही नहीं बनाया था।' मैंने कहा, 'तुम्हारे बच्चे हैं ना, फिर कोई बात नहीं।' उसने कहा, 'थाना पास ही में है अब पैदल चलते हैं।' 'मैंने कहा,' 'हाँ जल्दी-जल्दी चलते हैं ठण्ड बहुत है।'

जहाँ उस दिन अलाव जल रहा था, वहीं कप्तान साहब बैठे थे। मुझे कप्तान साहब पर बहुत गुस्सा आया। मैं उदास हो गया। मुंशी उनके बगल में खड़ा था। मुझे लगा कि उनके घुटनों में नहीं कमर में दर्द है। मुझे उन पर बहुत दया आई। कप्तान पर बहुत गुस्सा आया। मैं उदास हो गया। सिपाही भी उनकी बगल में जाकर खड़ा हो गया। उसकी कमर भी उसी एंगल पर झुक गयी। मुझे डर लगा कि कहीं वह गैस न निकाल दे। मुझे अचानक हँसी आने लगी। मैं मुस्कुराने लगा। मुझे लगा कि मुझे भी वैसे ही झुक जाना चाहिए, मैंने तो कुछ खाया भी नहीं है। लेकिन कप्तान साहब ने मुझे सामने की कुर्सी पर बैठने को कहा, तो मैं बैठ गया। उसने पूछा, 'उस दिन क्या हुआ था।' मैंने कहा, 'मुझे तो पता ही नहीं चला, बस वे लोग आये और पीट कर चले गए।' उसने कहा, 'आपने रिपोर्ट लिखाकर अच्छा किया।' मैंने कहा, 'उस दिन बहुत

ठण्ड थी।' उसने पूछा, 'आपकी किसी से दुश्मनी है?' मैंने कहा, 'नहीं बस मेरे बच्चे नहीं हैं।' उसने कहा, 'मेरे भी बच्चे नहीं हैं।' मैं कुछ बोलने ही जा रहा था कि मेरी नज़र उसके रिवॉल्वर पर पड़ी और मैं उदास हो गया। उसने पूछा, 'तुम उनमें से किसी को पहचान सकते हो?' मैंने कहा, 'नहीं उन्होंने कुछ बोला ही नहीं।' कप्तान ने पूछा, 'आप तो लायब्रेरी में नौकरी करते हैं तो रात में क्यों टहल रहे थे।' मैंने कहा, 'लायब्रेरी तो रात में बन्द रहती है।' कप्तान ने कहा, 'इतनी रात को घूमना अच्छी बात नहीं।' मैंने कहा, 'शराब के ठेके का मैनेजर भी यही कहता है।' कप्तान ने पूछा, 'आप शराब पीते हैं?' मैंने कहा, 'आर्मीवाले क्वार्टर नहीं बेचते ना।' कप्तान ने कहा, 'आर्मी कैंटीन की शराब बाहर बेचना जुर्म है।' मैंने कहा, 'इस देश में मिलिट्री शासन लगा देना चाहिए।' कप्तान ने कहा, 'बिलकुल लगा देना चाहिए। सारे नेता चोर हैं। कोई काम नहीं करता इस देश में।' मैंने कहा, 'लायब्रेरी तो शुक्रवार को बन्द रहती है ना।' कप्तान ने कहा, 'शुक्रवार क्यों मंगलवार क्यों नहीं।' मुंशी ने कहा, 'इस देश में मिलिट्री शासन लगा देना चाहिए।' कप्तान ने उसे घूर के देखा तो वह थोड़ा और झुक कर खड़ा हो गया। कप्तान ने कहा, 'थोड़ा सावधान रहिएगा।' मैंने कहा, 'कुहरे की वजह से सड़कें बहुत गीली रहती हैं।' कप्तान ने कहा, 'ठीक है अब जाइए। उनमें से कोई लड़का मिले तो थाने में इन लोगों को तुरंत सूचित कीजियेगा।' मैंने कहा, 'उनके पास तो मोटरसाइकिल है।' कप्तान ने कहा, 'आपको उसका नम्बर नोट कर लेना चाहिए था।' मैंने कहा, 'इस साल तो नयी किताबों के लिए भी बजट नहीं आया।' फिर मैं बाहर निकलने लगा। कप्तान ने मेरे कंधे पर हाथ रख कर कहा, 'आपको पुलिस को पूरा सहयोग करना चाहिए। शहर की क़ानून-व्यवस्था भंग न हो यह ज़िम्मेदारी आप जैसे सम्मानित नागरिकों की है।'

मैंने उस मरघिल्ले की ओर देखा। वह कप्तान साहब की ओर देख रहा था। मैं पैदल ही बाहर निकल गया। मुझे पैदल चलना अच्छा लग रहा था। मैंने क़दम भी नहीं गिने। मैं हर आते-जाते को ग़ौर से देख रहा था। रोज़ लायब्रेरी आने वाले लोग अब भी उसी जगह पर खड़े थे। इस बार उन्होंने मुझे नमस्कार भी नहीं किया। बस आकर घेर कर खड़े हो गए। एक ने पूछा, 'वह सिपाही आपका रिश्तेदार है?' मैंने कहा, 'नहीं उसका भाई तो चौकीदार है।' दूसरे ने कहा, 'साथ में पढ़ा होगा।' मैंने कहा, 'लेकिन वह तो कभी लायब्रेरी भी नहीं

आता।' पहले ने कहा, 'फिर तुम्हें गिरफ़्तार किया था क्या?' मैंने कहा, 'नहीं वह तो अकेला आया था।' दूसरे ने कहा, 'तुम थाने क्यों गए थे।' मैंने कहा, 'आपको पुलिस का पूरा सहयोग करना चाहिए। शहर की क़ानून-व्यवस्था भंग न हो यह ज़िम्मेदारी आप जैसे सम्मानित नागरिकों की है।' वे दोनों हँसने लगे। एक ने पूछा, 'समोसे खाओगे।' मैंने पूछा, 'कल की उधारी तो नहीं।' पहले ने कहा, 'समोसेवाला रिटायर लोगों को उधारी नहीं देता।' मैंने कहा, 'फिर अच्छा है, मैं तो रिटायर भी नहीं।' वे दोनों हँसने लगे और फिर उदास हो गए। मैंने चलते समय उनको नमस्कार किया।

∼

अगले दिन वह लड़की आई। उसने सूट पहना था। मैंने कहा, 'तीन दिन बाद तुम्हारी मेम्बरशिप ख़त्म होने वाली है।' उसने कहा, 'अगले महीने तो शादी है मेरी। एक महीने की मेम्बरशिप दे दीजिए।' मैंने कहा, 'आर्मीवाले क्वार्टर कहाँ बेचते हैं।' उसने कहा, 'लड़का पुलिस में है।' मैंने कहा, 'आजकल चौकीदारों को भी पुलिस की ड्रेस दे देते हैं।' उसने कहा, 'मेरी ससुराल इस शहर में होती तो मैं लायब्रेरी आती रहती।' मैंने कहा, 'बच्चे हो जायेंगे तो कोई दिक़्क़त नहीं रहेगी।' उसने कहा, 'वह शराब पीता है।' मैंने कहा, 'पुलिस कप्तान बहुत कमीना है।' उसने कहा, 'शादी तो करनी ही पड़ती है' और वह उदास हो गयी। मैंने कहा, 'नौकरी तो करनी पड़ती है' और मैं भी उदास हो गया। उसने कहा, 'मैं कार्ड दूँगी।' मैंने कहा, 'मैं नहीं आ पाऊँगा, उस दिन लायब्रेरी खुली रहती है।' उसने कहा, 'चार दिन बाद पंडित जी तारीख़ तय कर देंगे।' मैंने कहा, 'चार दिन बाद ऊनी कपड़ों की सेल ख़त्म हो जायेगी।' उसने कहा, 'मैं डॉक्टर बनना चाहती थी।' मैंने कहा, 'बैंक मैनेजर की तनख़्वाह बहुत होती है।' उसने कहा, 'सुनीता मेरी सहेली का नाम था।' मैंने कहा, 'मेरी पत्नी का नाम अनीता था।' उसने कहा, 'मेरी सहेली ने घर से भागकर शादी कर ली तो उसकी माँ बीमार पड़ गयी।' मैंने कहा, 'मेरी माँ भी अक्सर बीमार रहती है।' उसने कहा, 'मेरी सहेली के पति की मोबाइल की दुकान है।' मैंने कहा, 'हेड ऑफ़िस से फ़ंड नहीं आया तो फ़ोन कटवाना पड़ेगा।' उसने कहा, 'लायब्रेरी में किताबों का फ़ंड कब आएगा। मुझे नार्वे के

जंगलों में कितनी रुचि थी।' मैंने कहा कि अभी तो लकड़ी का फ़ंड भी नहीं आया। उसने कहा कि भूगोल की किताब में नार्वे के बारे में क्यों नहीं है? मैंने कहा कि लायब्रेरी में बस इब्सन की एक किताब है *डाल्स हॉउस*। उसने कहा, 'लेकिन शादी तो करनी पड़ती है ना?' मैंने कहा कि नौकरी भी करनी ही पड़ती है। उसने कहा, 'इस देश में मिलिट्री शासन लगा देना चाहिए।' मैंने कहा, 'बिलकुल लगा देना चाहिए।'

~

सरोज बाबू अगले दो दिन नहीं आये। उनके साथ वाला भी नहीं आया। रोज़ अख़बार में वह ख़बर आती रही। अब एक टोपी के साथ एक टोपी मुफ़्त मिल रही थी। मैंने सोच लिया कि अब मैं उन दोनों को टोपी ज़रूर गिफ़्ट करूँगा। वह लड़की दोनों दिन आई। उसने मुझसे कोई बात नहीं की। अख़बार पढ़कर लौट गयी। कोई नई किताब भी इश्यू नहीं कराई। अगले दिन कोई नहीं आया। मैं आधे दिन की छुट्टी लेकर घर लौट गया। घर आकर मैंने चाय बनाने का पानी रखा तो मुझे रम की बहुत याद आई। मुझे बहुत गुस्सा आया। मैंने खिड़की के पास खड़े होकर दुकानवाले को आवाज़ लगानी चाही। लेकिन मेरे होंठ अकड़ गए। मुझे याद आया कि पिछले तीस घंटे से मैंने किसी से बात नहीं की थी। मुझे लगा उस लड़की से शादी की तारीख़ ही पूछ लूँ। मेरे पास उसका कोई फ़ोन नम्बर नहीं था। मेरे पास कोई फ़ोन भी नहीं था। अम्मा लायब्रेरी के नम्बर पर ही फ़ोन करती थीं। वह अक्सर बीमार रहती थीं। बीमार होने पर मुझे फ़ोन करती थीं। मुझे लगा कि मुझे लायब्रेरी से नहीं आना चाहिए था। मैंने टोपी पहनी और कमरे से निकल गया। गली के नुक्कड़ पर सरोज बाबू पान खा रहे थे। उन्होंने मुझे ज़ोर से आवाज़ दी। मैं अपनी जगह पर ही रुक गया। मुझे सिगरेट की तलब लगी थी। मैं उसी दुकान से सिगरेट खरीदता था और वह मुझे उधारी भी देता था। लेकिन मैं पान के पैसे नहीं देना चाहता था। पानवाले ने मुझे देखकर सिगरेट का पैकेट निकाल लिया। सरोज बाबू ने फिर आवाज़ लगाई। मैंने सिगरेट ले ली और कहा, 'हिसाब में लिख लो।' उनके साथी ने पान नहीं खाया।

सरोज बाबू बोले, 'आज लायब्रेरी में आप नहीं थे तो मुझे लगा आज

शुक्रवार है। फिर सोचा—आपका घर पास में ही है तो घर चला चलूँ।' मैंने कहा, 'मैं लायब्रेरी ही जा रहा था।' उन्होंने कहा, 'चार दिन पहले मैं हनुमान चौराहे के आगे वाले मोड़ पर फिसल गया था।' मैंने कहा, 'चार-लड़के थे या पाँच।' उन्होंने कहा, 'मैं गिन नहीं पाया।' मैंने कहा, 'आज मैंने अख़बार भी नहीं पढ़ा।' उन्होंने कहा, 'आज चाय की दुकान खुली थी लेकिन मैं नहीं गया।' मैंने पूछा, 'आपको शुगर तो नहीं।' उन्होंने कहा, 'मैं रात को कभी बाहर नहीं निकलता।' मैंने कहा, 'टिटनेस की सूई लगवा लीजियेगा।' उन्होंने कहा, 'मेरे बेटे-बहू बहुत अच्छे हैं।' मैंने पूछा, 'उनके बच्चे हैं।' उन्होंने कहा, 'बहू के पापा आये थे।' मैंने कहा, 'मेरी माँ अक्सर बीमार रहती है।' उन्होंने कहा, 'घर में बस दो कमरे हैं।' मैंने कहा, 'मेरे कमरे में तो धूप भी नहीं आती।' उन्होंने कहा, 'मेरी बहू ने तो कहा भी नहीं लेकिन मैंने उसके पिता के लिए बेड ख़ाली कर दिया। मेहमान भगवान होता है।' मैंने कहा, 'मेरे घर कल एक सिपाही आया था।' उन्होंने कहा, 'बंगाली समाज बहुत अच्छा है। धर्मशाला में गरम पानी मिलता है।' मैंने कहा, 'कल मैंने ठण्डे पानी से ही देशी शराब पी ली थी तो गले में ख़राश हो गयी।' उन्होंने कहा, 'बस बीस रुपये में एक रात रहने देते हैं। दस रुपये में खाना भी देते हैं।' मैंने कहा, 'चार समोसे खा लो तो नाश्ते की भी ज़रूरत नहीं रहती।' उन्होंने कहा, 'मेरा बेटा बहुत अच्छा है।' उनके साथी ने कहा कि धर्मशाला में सिर्फ़ तीन दिन रुकने का नियम ग़लत है। मैंने कहा, 'इस देश में मिलिट्री शासन लगा देना चाहिए।' उन्होंने कहा, 'वे लड़के भी अच्छे थे।' मैंने कहा, 'आपको शुगर नहीं है ना।' उनके साथी ने कहा, 'लायब्रेरी शुक्रवार को क्यों बन्द रहती है।' मैंने कहा, 'मंगलवार को लायब्रेरी खुली रहती है।' उनके साथी ने कहा, 'रोज़ खुलनी चाहिए।' मैंने कहा, 'बड़े साहब कह रहे थे कि लायब्रेरी जल्द ही बन्द होने वाली है, यहाँ मॉल खुलेगा।'

उन दोनों ने एक साथ कहा—'इस देश में मिलिट्री शासन लगा देना चाहिए।'

कूपन में स्मृति

अजीब सी किताब थी वह। 2030 में छपी थी। पूरे सौ साल पुरानी! शीर्षक ही समझ से बाहर था—*स्मृति और प्रेम*। उसके नीचे लिखा था—रचना। यह शायद लिखनेवाले का नाम होगा। माँ ने बताया था कि पहले लोगों के ऐसे ही नाम होते थे। नानी ने उनका भी कुछ नाम रखा था। फिर नामों पर प्रतिबन्ध लगा दिया गया और कोड्स अलॉट कर दिये गए। उसका कोड था—सी ए जी एल 1090। लेकिन *स्मृति और प्रेम*! शीर्षक ही न समझ आये तो कोई आगे पढ़े कैसे। उलटा-पलटा तो आधी पूरी लाइनें और अजीब-अजीब से शब्द, जिन्हें कभी डिक्शनरी में भी नहीं देखा था। पंद्रह दिन से पहले मास्टर रोबो से भी मुलाक़ात असंभव थी। कई लोगों से पूछना चाहा, लेकिन जानता था कि किसी को भी न तो इसकी अनुमति थी न ही कोई इस पर ध्यान देने वाला था।

वह थोड़ी देर और सोना चाहता था, लेकिन 7 घंटे का उसका कोटा पूरा हो चुका था और टीवी उद्घोषिका लगातार उठने का निर्देश दे रही थी। अंततः उठा और कॉफ़ी मशीन के सामने जाकर कार्ड स्वाइप किया। फिर ऑनलाइन ब्रेकफ़ास्ट साइट पर जाकर बैलेंस चेक किया और दो अंडे और टोस्ट ऑर्डर कर दिया। मन तो पराँठे खाने का था लेकिन इस महीने में वह दो बार पराँठे खा चुका था और अगर अब ऑर्डर किया तो आख़िरी कुछ दिन बिना ब्रेकफ़ास्ट के काम चलाना पड़ सकता था। नाश्ता आने से पहले नित्यक्रिया निपटा लेनी थी, तो जम्हाई लेता हुआ वॉशरूम में गया और डेली कोटे का एक बाल्टी पानी निकाल कर जैसे-तैसे तैयार हुआ। लौटा तो ब्रेकफ़ास्ट लाने वाला लड़का दरवाज़े पर था। किसी तरह गटका अंडा-ब्रेड और गले में आई

कार्ड लटकाए बस स्टॉप पर पहुँच गया। वही रोज़ की आठ बजे की बस। कार्ड दिखाने से दरवाज़ा खुल जाता और सीट पर बैठते ही सीट बेल्ट कस जाती। सामने स्क्रीन पर ईस्टर्न वर्ल्ड कॉर्पोरेशन की न्यूज़ रील चल रही थी।

पिछले 32 सालों से यह रील वह रोज़ देखता आ रहा था। पहले स्कूल और कॉलेज की बस में फिर ऑफ़िस की बस में। शुरुआती पंद्रह मिनट बिलकुल नहीं बदले थे, उसके बाद हर साल नई सूचनाएँ आती-जाती थीं। उन दिनों का कुछ ख़ास नहीं याद उसे। याद रखना कभी याद ही नहीं रहा और याद करने जैसा कुछ था भी नहीं। जैसा सबका जीवन वैसा ही उसका भी। चार साल की उम्र में स्कूल गया होगा, फिर आयक्यू टेस्ट के हिसाब से क्लास और विषय दिये गए होंगे। फिर हर साल प्रमोशंस, कॉलेज के लिए, फिर वही प्रक्रिया और फिर उसी प्रक्रिया से वर्क तथा कूपन अलॉटमेंट कर दिये गए होंगे। पार्टनर ऑप्शन में उसने परमानेंट दिया था, लेकिन बताया गया कि उसकी एलिजीबिलिटी परमानेंट की नहीं है, पाँच साल बाद अगर प्रमोशनल टेस्ट में उसका परफ़ार्मेंस ए श्रेणी का हुआ तभी उसे परमानेंट पार्टनर मिल पाएगी, तब तक वह अपने कूपन्स से टेम्परेरी पार्टनर के लिए अप्लाई कर सकता था। पिछली दोनों बार उसका परफ़ार्मेंस ऐसा नहीं हो पाया कि परमानेंट पार्टनर मिल पाये और अब तो उसने उम्मीद भी छोड़ दी थी। परमानेंट में फ़ायदा यही होता है कि तीन साल तक आपको हर हफ़्ते कूपन नहीं बर्बाद करने होते हैं और दो कमरों वाला रिटायरिंग फ़्लैट मिल जाता है। बच्चों के बारे में तो उसने कभी सोचा नहीं था लेकिन परमानेंट पार्टनर होने पर अगर दोनों राज़ी हों तो कंपेटिबिलिटी की जाँच कर बच्चा पैदा करने की अनुमति भी दे दी जाती थी, अगर बच्चा नहीं चाहिए और सिर्फ़ पैरेंटिंग एक्सपीरिएन्स का मन हो तो तीन महीने का एक बेबीलेस प्रेग्नेंसी पैकेज भी था लेकिन वह काफ़ी महँगा था और उसे तो बस ए +++ वाले ही अफ़ोर्ड कर पाते थे।

टेम्परेरी पार्टनर का सिस्टम सरल था। आपको शुक्रवार को अप्लाई करना होता था, जिन लड़कियों के साथ आपका प्रोफ़ाइल मैच करता था अगर उनमें से किसी एक के लिए शनिवार तक कन्फ़र्मेशन आ जाता था तो शनिवार शाम को वर्कप्लेस से लौटते हुए वह कपल्स स्क्वायर पर मिलती थी और फिर आप वहाँ से उसे अपने कमरे पर ला सकते थे, जाने को आप उसी इलाक़े के बार और प्लेज़र रूम्स में भी जा सकते थे, लेकिन उसका चाज महँगा था,

इसलिए अक्सर लोग कमरे पर ही आ जाते थे। अगले 18 घंटे आपको साथ होना होता था और उसमें दो बार सेक्स किया जा सकता था। पहले वह हर हफ़्ते अप्लाई किया करता था लेकिन पिछले दो सालों से महीने में दो बार करके वह पहाड़ देखने का खर्च बचा रहा था।

पहाड़ के बारे में उसे माँ ने बताया था। बचपन में माँ हर हफ़्ते चिल्ड्रन रिटायरिंग रूम आया करती थी। कॉलेज में था तो यूथ रिटायरिंग रूम के नियमों के हिसाब से महीने में बस एक बार मुलाक़ात होती थी। अक्सर वह उसे नानी और पहाड़ों के बारे में बताती। इसी वजह से शिक़ायत भी हुई थी और फिर मिलने पर रोक लगा दी गई। पिछले महीने जब उसे माँ से मिलने को कहा गया तो वह अस्पताल में थी। वह पैंसठ साल की हो चुकी थी और अब उसे रिटायर करके डेथ इंजेक्शन दिया जाना था। आख़िरी इच्छा में उसने बेटे से मिलने के लिए कहा था तो आधे घंटे की मुलाक़ात इस शर्त पर मंजूर की गई थी कि वह उससे नानी या पहाड़ के बारे में कोई बात नहीं करेगी। माँ ने कुछ बोला ही नहीं। अस्पताल के उस कमरे की बॉलकनी से उसने बाहर देखा जहाँ बादलों ने डेरा बना लिया था और उसे बुलाकर दिखाया। माँ की आँखों में एक चमक थी जो वह भूल चुका था। थोड़ी देर तक बादलों को देखने के बाद उसने कहा कि बारिश होगी। माँ की आँखों की चमक थोड़ी और दमकी और फिर वहाँ एक उदास बादल आकर बैठ गया। ज़रा-सी बारिश हुई और माँ ने अचानक डॉक्टर से कहा, 'आय एम रेडी।' डॉक्टर इंजेक्शन तैयार करने लगा तो माँ ने अपने बैग से भगवान की एक फ्रेम की हुई तस्वीर निकाली और उसे देते हुए कहा, 'मैंने परमिशन ले ली है। तुम इसे अपने पास रखना।' आमतौर पर भगवान की तस्वीर रखने की अनुमति सिर्फ़ महिलाओं को थी। जब भगवान की तस्वीरें रखने पर पाबंदी लगाई गई तो औरतों ने टेम्परेरी या परमानेंट रिलेशन में जाने से मना कर दिया था, ज़बर्दस्ती भेजा गया तो वे कपल्स स्क्वायर पर ही सारे कपड़े उतार कर बैठ गईं और तमाम सख़्तियों के बावजूद तब तक नहीं उठीं जब तक एक तस्वीर रखने की अनुमति नहीं दी गई। यह बात उसके जन्म से पहले की थी। माँ ने बताया था कि नानी उस समय सबसे आगे बैठी थीं। उसी प्रदर्शन के बाद नानी को 'नॉट सूटेबल फ़ॉर जॉब' घोषित कर डेथ इंजेक्शन दे दिया गया और माँओं का बच्चों से

मिलना सीमित करा दिया गया। मैंने माँ की ओर देखा तो उन्होंने आँखों में ही कहा कि यह उन्हीं की तस्वीर है। मैंने तस्वीर ले ली और फिर डॉक्टर ने इंजेक्शन दे दिया। मरने से ठीक पहले माँ की दर्दभरी आवाज़ गूँजी—पहाड़।

न्यूज़ रील पर पहाड़ दिखाये जा रहे थे। पीछे एक सपाट आवाज़—'ये दुनिया के इकलौते पहाड़ हैं जिन पर बर्फ़ बची हुई है। कल्पना कीजिये वहाँ आपको गर्मियों के दिनों में भी ईस्टर्न एसी के बिना ठण्ड लगती है। हर साल पचास सबसे योग्य लोगों को कॉर्पोरेशन भेजता है पहाड़ पर। आपकी मेहनत और बचत आपको भी ले जा सकती है एक दिन धरती के इस अजूबे पर। देखिये अपने ख़ुशगवार साथियों को।' पर्दे पर कुछ चेहरे नमूदार हुए। पथरीले चेहरे जैसे रोज़ देखता है वह। फिर उन चेहरों पर एक अजीब-सा कशमकश का भाव उभरा जो धीरे-धीरे आश्चर्य में बदलता गया। फिर अचानक एक उम्रसरा आदमी ने अपनी ही उम्र की एक महिला को देखा। दोनों के चेहरे विकृत होने लगे। फिर 'हो-हो' की आवाज़ में वे हँसने लगे। कुछ और लोग भी। फिर सारे हँसने लगे। भयावह-सी आवाज़ और दृश्य बदल गया। उसे लगा जैसे उसने उनमें से किसी एक को रोते हुए देखा था। क्या हुआ होगा उसका? वर्क कॉन्ट्रेक्ट ख़त्म या फिर केवल कड़ी चेतावनी या सायको ट्रीटमेंट या फिर नॉट सूटेबल फ़ॉर जॉब! अपने भीतर उसने एक लहर-सी उठती महसूस की। लगा जैसे एक मितली-सी पेट के बहुत भीतर से उठती गर्दन तक चली जा रही है। वह उठकर बस के वाटर प्लांट तक गया और कार्ड स्वाइप कर एक गिलास पानी निकाला। पीते हुए अचानक उसे लगा जैसे पहाड़ उसके गले के भीतर उतर रहा है। मोबाइल निकालकर उसने सेविंग चेक की। अभी कम-से-कम दो साल और लगने थे पहाड़ यात्रा संभव होने में। बस में एक मीठी सी आवाज़ गूँजी—'वर्क स्टेशन टू पहुँचने में हमें दो मिनट और लगेंगे। वहाँ उतरने वाले यात्री गेट पर आ जाएँ। लाइन में रहें और संकल्प लें—मेहनत, अनुशासन और नियमों के प्रति प्रतिबद्धता। आपका दिन उत्पादक हो। धन्यवाद।'

बस स्टैंड से नब्बे क़दम चलना होता था। पिछले आठ बरसों से वह रोज़ गिनता था। कई बार जानबूझकर छोटे क़दम लेता लेकिन संख्या हर बार नब्बे की ही आती। फिर वही विशालकाय दरवाज़ा। दरवाज़े पर अपना आई कार्ड लगाओ

तो एक आदमी भर की जगह खुलती। फिर पच्चीस क़दम पर स्कैनर। गुज़रते हुए पन्द्रह सेकेंड की बीप। फिर पन्द्रह क़दम पर लिफ़्ट। एक सौ बीसवीं मंज़िल तक जाने में कुल बीस सेकेंड। फिर छब्बीस क़दम पर अल्ट्रा स्कैनर। नब्बे परसेंट से कम मेडिकली फ़िट बताया तो काम के घंटे बढ़ा दिए जाते हैं। फिर चालीस क़दम सीधे चलकर आठ क़दम बाईं ओर मुड़ने पर डेढ़ बाई डेढ़ का क्यूबिकल, जहाँ ठीक नौ बजे पहुँच जाता है वह। अगले छह घंटे वहाँ से बाहर नहीं निकला जा सकता। बारह बजे चाय का ब्रेक, फिर तीन बजे आधे घंटे का लंच ब्रेक, जिसमें खाना खाकर अड़तालीस क़दम चलकर गेट पर आना होता है और एक और बार अल्ट्रा स्कैनर से गुज़र कर फिर अपने क्यूबिकल में। आठ बजे ग्रेट हॉर्न बजता है और फिर ठीक नौ बजे वर्कर्स रिटायरिंग होस्टल के सामने बस छोड़ देती है। आठवीं मंज़िल के अपने बारह बाई दस के कमरे में लौटकर वह टीवी ऑन कर देता जिस पर दो ही ऑप्शन थे—या तो ईस्टर्न कॉर्पोरेशन के चैनल पर न्यूज़ रील्स देखे या फिर एक सौ पच्चीस दूसरे चैनलों पर अलग-अलग तरीके के पोर्न। इन चैनल्स पर भी न्यूज़ रील का टिकर चलता रहता था। उसे मसाज पोर्न पसंद था। मसाज रूम बेहद सुन्दर हुआ करते थे। हल्का संगीत बजता रहता। दीवारों पर सुन्दर लड़कियों के नग्न फ़ोटो। थाली में रखे पानी पर दीये जलते रहते। फिर एक मर्द और एक औरत कमरे में आते। औरत सारे कपड़े उतार कर लेट जाती और मर्द शॉर्ट्स तथा टी-शर्ट पहनकर उसकी मसाज करने लगता। पहले पैरों की, फिर पीठ की। जब गर्दन तक पहुँचता तो औरत सिसकारियाँ भरने लगती और पलट जाती। फिर वह स्तनों की मसाज करता और स्त्री उसके शॉर्ट्स उतार देती। फिर धीरे-धीरे मसाज की जगह चूमना-चाटना शुरू हो जाता। पहले इसे देखते हुए वह हस्तमैथुन कर लेता था, लेकिन इधर कुछ महीनों से उसकी नज़र कॉर्पोरेशन के टिकर्स पर टिक जाती और उत्तेजना ख़त्म हो जाती।

आज उसने जाने क्या सोचकर न्यूज़ रील लगाई। बचपन से अब तक उसने यह रील देखी हज़ारों बार थी लेकिन गौर से एक बार भी नहीं सुना। आज सुनना शुरू किया। एक युवा स्त्री की आवाज़ थी पीछे से और सामने तेज़ी से बदलते दृश्य—'ईस्टर्न कॉर्पोरेशन की स्थापना इक्कीसवीं सदी की शुरुआत में हुई थी। उस भयावह समय में एक रौशन दिमाग ने देखा था यह सपना

कि लोकतन्त्र जैसी भयानक और मनुष्य विरोधी व्यवस्था को ख़त्म कर एक नई दुनिया बनेगी, जिसमें आदमी मेहनत करेगा और सुखी रहेगा। बेकार के नारों को ख़त्म कर उसने एक नया नारा सोचा था—मेहनत, अनुशासन और नियमों के प्रति प्रतिबद्धता। जिसने दुनिया को मशीनों से भर देने का सपना देखा और पूरा किया। 2040 में विश्वयुद्ध के बाद जब दुनिया छह हिस्सों में बँटी तो यह पूरबी इलाका हमारे हिस्से आया। बीसियों देशों में बँटे इस हिस्से को हमने एक किया। सबको काम दिया कि वे अपने लिए हवा, पानी और भोजन खरीद सकें। हमने दुनिया को युद्धों से मुक्ति दिलाई, बेकार के कॉम्पिटिशन से मुक्ति दिलाई, घृणित चुनावों के ज़रिये चुने जाने वाले भ्रष्ट नेताओं से मुक्ति दिलाई, धर्म और जाति के झगड़ों से मुक्ति दिलाई, विचारों से मुक्ति दिलाई, मनुष्य को बहकाने वाली कविताओं और नारों से मुक्ति दिलाई। सबसे बड़ी बात यह कि हमने उन्हें इतिहास से मुक्ति दिलाई, स्मृति से मुक्ति दिलाई और प्रेम जैसे बचकाने भावों से भी। तो आपका फ़र्ज़ बनता है कि अपने इस महान मुक्तिदाता....' वह यहीं पर अटक गया। स्मृति...प्रेम... यही तो वे शब्द थे जिनके मानी वह ढूँढ़ रहा था। अचानक उसने बिस्तर के नीचे रखी वह किताब निकाली। थोड़ी देर तक कवर देखता रहा। पहाड़, बर्फ़ से लदे हुए ऊँचे-ऊँचे पेड़। एक औरत जो पहाड़ों की ओर चली जा रही थी। उसकी पीठ दिख रही थी। लम्बी चोटी। पाँवों में साधारण-सी चप्पल। जैसे लौट रही हो कहीं और लौटने की बेहद जल्दी हो उसे। कवर पलटा तो पहले पन्ने पर लिखा था—'आने वाली पीढ़ियों के लिए।' दो तीन पन्ने पलटे तो बोल्ड शीर्षक में लिखा था—**वह जो नष्ट हो रहा है**

एक गाँव नहीं है वह
स्मृतियों की भरी-पूरी बस्ती है
जो दरवाज़ा जला दिया तुमने
उसमें किसी के सपने बरहना हो गए हैं
तुम्हारे फ़ौजी बूटों ने ज़िना किया है
किसी की उम्मीदों के साथ
वह जो बंजर हो गया
टुकड़ा नहीं था ज़मीन का

एक मर्द की बीस बरस की मेहनत थी
उस काट दिये गए दरख़्त के नीचे
बीस बरस से रहता था पहला चुंबन किसी स्त्री का
एक दिन बच्चे पूछेंगे तुमसे
अपने खेल के मैदानों का पता
एक दिन चिड़ियाँ तुमसे माँगेंगी
अपने आशियाने का हिसाब
तब क्या कहोगे तुम
जब तुम्हारी बाँहों में नग्न पड़ी स्त्री कहेगी—प्रेम
और तुम्हारी स्मृति से खो चुका होगा यह शब्द।

दसियों बार पढ़ा उसने इसे। पिछले 36 सालों में ऐसा कुछ नहीं पढ़ा था। न स्कूल में न कॉलेज में, न किसी न्यूज़ रील में और न विज्ञापन में ही। समझ कुछ नहीं आ रहा था लेकिन कुछ था जो बाँध रहा था। घर, खेल के मैदान, पेड़, सपने, चुंबन, इन सबका जो मतलब उसे पता था, यहाँ सब उससे एकदम अलग था। घबरा कर किताब रख दी उसने फिर से बिस्तर के नीचे। घड़ी देखी तो सवा बारह बज चुके थे। मोबाइल उठाया और टेम्परारी पार्टनर के लिए अप्लाई कर दिया। फिर नींद की गोली ली और लाइट्स बुझा दीं।

ठीक 3 बजे उसके मोबाइल पर मैसेज चमका। लंच पैक खोलते-खोलते उसने देखा—टेम्परारी पार्टनर रिक्वेस्ट अप्रूव्ड। पार्टनर कोड एन क्यू एफ आर 64। ईस्टर्न कॉर्पोरेशन के सर्च इंजन पर यह नम्बर डाला तो एक प्रोफ़ाइल खुली। अकाउंट्स असिस्टेंट। उम्र 34 साल। गोरा रंग। बाल काले। फ़िगर 38 34 38। प्रिफ़रेंस मिशनरी पोज़ीशन। आई क्यू लेवल ए+। प्रोफ़ाइल तस्वीर शनिवार को ही ओपन होती थी। फिर स्कैनिंग के लिए गेट तक जाकर लौट आया। एक बार फिर मन हुआ प्रोफ़ाइल देखने का। लेकिन अब सर्च इंजन डिसेबल हो चुका था, अगले पाँच घंटों के लिए। उसने सिस्टम खोला और टूर पैकेजेज़ फ़ाइनल करने लगा। उसका काम था आए हुए टूर प्रस्तावों की जाँच करके उनमें अपने सुझाव जोड़कर फ़ाइनेंशियल असेसमेंट के लिए आगे भेजना। ये प्रस्ताव अक्सर ए++ और उसके ऊपर के लोगों के होते थे। दो तरह के टूरिंग प्रपोज़ल आते थे, नेचुरल और ईस्टर्न हैवेंस के। नेचुरल में नदी, वेजीटेबल फ़ॉर्म, पहाड़ वगैरह के होते। ईस्टर्न हैवेंस की सबसे ज़्यादा पसंद की जाने वाली जगह थी रूरल

हैवेन। यह पहाड़ की तलहटी में बसा एक गाँव था, जिसमें कोई रहता नहीं था। दो-तीन कमरों के मकान जिनमें छत, आँगन और किचन गार्डन थे। इन गार्डन्स में कुछ परमानेंट प्लांट्स थे जिनमें हरी सब्ज़ियाँ लटकी रहती थीं, जिन्हें तोड़ने या छूने की अनुमति नहीं थी। आँगन में एक जानवर बँधा रहता था, जिसके थनों को निचोड़ने पर सफ़ेद रंग का द्रव निकलता था। टूरिस्ट्स को सख़्त हिदायत थी कि इसके लिए दस्ताने पहनें और द्रव को हाथ न लगाएँ। एक मंदिर था जिसमें शाम को संगीत बजता था। इसमें भी किसी को भीतर जाने की अनुमति नहीं थी। गाँव के किनारे एक पहाड़ी नदी थी। लेकिन हर साल एकाध ऐसे केसेज़ आते थे जब टूरिस्ट हरी सब्ज़ियाँ तोड़ने या सफ़ेद द्रव पीने या नदी और मंदिर में जाने की कोशिश करते। ऐसे टूरिस्ट को हमेशा के लिए बैन कर दिया जाता और ए कैटेगरी में डाल दिया जाता। इसके अलावा सेक्स हैवेन था, जहाँ एक बड़े से मंदिरनुमा भवन की दीवारों पर सेक्स करते हुए मर्द-औरतों की मूर्तियाँ बनी हुई थीं और सीत्कार की तेज़ आवाज़ें आती रहतीं। बीच में एक बड़ा-सा हॉल था जिसमें पार्टनर के साथ जाने वाले सेक्स कर सकते थे और अकेले जाने वाले या तो मास्टरबेट या फिर तुरंत एक्स्ट्रा पेमेंट करके कोई टेम्परारी पार्टनर हासिल कर सकते थे। एक पीपल्स हैवेन था जहाँ आपको हर वक़्त बहुत से लोगों के बीच होने की अनुभूति होती और आपके हर सवाल का प्री-रिकॉर्डेड जवाब दिया जाता। सवालों की सूची पहले ही उपलब्ध करा दी जाती। उसके सामने पीपल्स हैवेन का ही एक प्रस्ताव था। ए ++ वाला 34 साल का एक पुरुष तीन महीने बाद वहाँ जाना चाहता था दो दिन के लिए। उसने सजेशन में सवाल जोड़ा—'प्रेम और स्मृति क्या है' और आगे बढ़ा दिया।

~

बस कपल्स स्क्वायर पर रुकी तो उसने मोबाइल पर पार्टनर लोकेशन देखी। वह बार के पास खड़ी थी। उसे थोड़ा आश्चर्य हुआ। इसके पहले वह बार की तरफ़ कभी नहीं गया था। अक्सर पार्टनर्स बस स्टैंड पर ही मिल जाती थीं। बाईं तरफ़ चालीस क़दम चलकर फिर साठ क़दम चलने पर बार का दरवाज़ा था। वह बाहर बनी बेंच पर बैठी थी। उसे देखकर मुस्कुराई और हाथ आगे बढ़ाते हुए बोली, 'अगर आपको एतराज़ न हो तो थोड़ी देर बार में बैठें?'

वह हिचकिचाया तो उसे आश्वस्त करते हुए बोली, 'मेरे पास एक्स्ट्रा क्रेडिट्स हैं। आपको शेयर नहीं करना पड़ेगा। असल में मुझे रिलेशन वाले दिन ड्रिंक किए बिना मज़ा नहीं आता। चलिये न प्लीज़।' वह चुपचाप उसके पीछे चल दिया। अन्दर नीले रंग की हल्की रौशनी थी। गोल मेज़ों के इर्द-गिर्द कुर्सियाँ लगी हुई थीं। उनमें से एक खाली कुर्सी पर उसने उसे बैठने का इशारा किया और ख़ुद काउंटर की तरफ़ चली गई। कार्ड स्वाइप कर दो गिलासों में ड्रिंक ले आई और सामने कुर्सी पर बैठते हुए कहा, 'रेड ईस्टर्न रम ले आई हूँ। सौ साल पहले इसे ओल्ड मांक कहते थे और लोग जाड़ों में इसे बहुत पसंद करते थे। अब जाड़े तो बस पंद्रह दिन के लिए आते हैं तो इसकी तासीर ठंडी करके टेस्ट वही रखा गया है।' फिर उसमें बर्फ़ के दो टुकड़े डालती हुई बोली, 'मुझे पता है कि आप ड्रिंक नहीं करते लेकिन आज मेरे साथ पीजिए। शराब, बात और सेक्स का कॉम्बिनेशन ग़ज़ब होता है।' उसने गिलास उठाया और तेज़ी से गटक गया। वह हँसने लगी, 'आराम से पीजिए भई। अगले अट्ठारह घंटे हम साथ हैं।' फिर वह दूसरा गिलास ले आई।

थोड़ी देर बाद उसने पूछा, 'आप मनोरंजन के लिए क्या करते हैं?'

'टीवी देखता हूँ।'

'बस टीवी!'

'हाँ।'

'कौन-सा पोर्न पसंद है?'

'मसाज, कभी-कभी स्टेप मॉम।'

'कभी मसाज कराई आपने?'

'नहीं।'

'अरे! कभी बड़ी उम्र की पार्टनर के लिए अप्लाई किया?'

'नहीं।'

'घूमने भी नहीं गए ना आप कहीं?'

'नहीं।'

'आज का क्या प्लान है?'

'कुछ नहीं।'

'अगर आप कहें तो मैं प्लान बनाऊँ?'

'बना लीजिये।'

'ओके। तीन ड्रिंक्स के बाद हम वॉक करेंगे और अगले स्टैंड से बस लेंगे फिर स्काई वॉच के लिए जाएँगे। कार्ड मैं स्वाइप करा लूँगी। फिर घर जाएँगे। आय विल गिव यू ए मसाज। ओके?'

'ओके।'

'आपने एक बार में दो से अधिक शब्द पिछली बार कब कहे थे?' वह हँसते हुए बोली।

वह सोच में पड़ गया। अक्सर तो बोलने के मौके ही नहीं थे। हाँ, नहीं, ओके, थैंक्स बस यही कहना होता था। ऑफ़िस में संदेश मोबाइल या ईस्टर्न नेट से आते थे और उनके जवाब में येस या ओके लिखना होता था। ऑफ़िस जाते-आते गुडमॉर्निंग/ गुडनाइट या फिर लंच/डिनर की डिलिवरी के समय थैंक्स। रिलेशन के लिए आईं पार्टनर्स भी ज़्यादा बात नहीं करती थीं। घर आकर खाना ऑर्डर करते फिर पोर्न देखते और फिर कोई एक शुरू करता तो बात के लिये कोई स्कोप होता नहीं था। फिर उसे अचानक अपना पहला रिलेशन याद आया। कॉलेज के आख़िरी साल में एक महीना सेक्स एजुकेशन का होता, जिसके आख़िरी दिन पहला रिलेशन बनाना होता था। वह इक्कीस साल का था और वह भी इसी उम्र की। झिझकते हुए दोनों रूम में घुसे तो उसने पूछा, 'आर यू इन हरी? मुझे थोड़ा-सा डर लग रहा है। बातें करें थोड़ी देर?' उसने 'हाँ' ही कहा था। वह देर तक बोलती रही थी—'ममा ने लास्ट मीटिंग में कहा था कि सब बहुत अजीब हो गया है। पहले लोग ख़ुद चुनते थे पार्टनर और लम्बे रिलेशन में रहते थे। बच्चे होते थे। घर। अभी सब कुछ कॉर्पोरेशन तय करता है। ये कहते हैं कि यह सब हमारे बेस्ट के लिए है, लेकिन मान लो हम अपना बेस्ट न चाहें तो? अब यह क्या बात हुई कि सब बेस्ट हो! पूरे महीने मैं एक दूसरे लड़के को देखती रही। जब टीचर चूमना सिखा रहे थे तो मैं सोचती कि वह चूम रहा है मुझे। लेकिन जब पार्टनर डिसाइड हो रहे थे तो मुझसे पूछा भी नहीं गया। तुम बताओ तुमने भी तो देखा होगा किसी को?' तब भी उसकी समझ में नहीं आया था कि क्या बोले वह। वह तो लगातार पहले पीरियड में आने वाली इंस्ट्रक्टर को देखता रहा था। मझोला क़द। थोड़ी भरी देह। उसके सीनों पर निगाह टिक जाती। लड़की की प्रश्नवाचक निगाहें उसकी तरफ़ टिकी थीं, वह बोला,

'नहीं। मैंने ऐसे किसी पर ध्यान नहीं दिया।' वह हँसते हुए बोली, 'मैं समझ गई थी जब तुम्हें ''मोस्ट डिसिप्लिंड ट्रेनी'' घोषित किया गया था। असल में तुम मशीन हो। एक पुर्ज़ा। वे सेट कर देंगे तुम्हें कहीं, और तुम उम्र भर वैसे ही घिसते रहोगे।' वह तब भी चुप रहा था। फिर वही बोली थी, 'लाइट्स स्विच ऑफ़ कर दो। मैं उसी लड़के की कल्पना करूँगी और तुम्हारे साथ होऊँगी। कितना भयानक होगा ना कि कभी कोई तुम्हारी कल्पना नहीं करेगा किसी और के साथ तो छोड़ो, तुम्हारे साथ होते हुए भी' और फिर उसके चेहरे पर एक अजीब-सी मुस्कुराहट आई थी जिससे डर के उसने लाइट्स ऑफ़ कर दी थीं।

वह उसके पीछे चलता जा रहा था। कोई सोलह साल बाद स्काई वॉचिंग के लिए जा रहा था। कॉलेज के दिनों में दिखाया गया था आसमान। चाँद, तारे और उस मद्धिम रौशनी की उसे हल्की-सी याद थी। वह भी चुप थी। बड़े से गेट के पास लगी मशीन में कार्ड स्वाइप किया तो एक आदमी के घुसने भर की जगह बन गई। वह उसके पीछे-पीछे अन्दर गया। दो सौ क़दम चलने के बाद एक बड़ा-सा मैदान था जिसमें कई लोग ऊपर की ओर मुँह किए खड़े थे। हल्की रौशनी जैसे मास्टर रोबो के कमरे में होती है। वह अचानक पलटी, 'मुझे पकड़ो और ऊपर देखो।' उसने पीछे से उसके स्तन पकड़ लिए तो वह हँसने लगी, 'बूब्स नहीं बेवकूफ़, कमर से थामो' और फिर उसके हाथ पकड़ कर अपनी कमर पर रख लिए। कितनी नर्म त्वचा। उसका मन हुआ कि उसकी पीठ चूम ले। तभी उसने कहा, 'ऊपर देखो मेरे साथ।' उसने गर्दन उठाई। उफ़! क्या था यह! पूरा चाँद जैसे...उसने बहुत याद किया लेकिन कुछ ऐसा याद नहीं आया जिससे तुलना कर सके। और ढेरों तारे। अपने भीतर कुछ मचलता-सा महसूस किया उसने। अचानक वह हँसी याद आई उसे जो पहाड़ को देखकर उस आदमी के चेहरे पर आई थी। उसे लगा उसका चेहरा वैसा ही होता जा रहा है। फिर सीने में कुछ उमगता हुआ सा। जैसे आँखों में कुछ गीला-गीला सा उभर रहा था। अचानक उसने सिर पीछे घुमाया, मुस्कुराई और उसके गाल चूम लिए। वह अब भी ऊपर देख रहा था। वह भी ऊपर देखने लगी। आधा घंटा बीतने वाला था शायद। वह पलटी और उसने अपने होंठ उसके होंठों पर रख दिये तो उसके हाथ कमर पर और कस गए। फिर बहुत

धीमे से उसके कानों तक अपने होंठ ले जाकर उसने कहा, 'बाहर निकलने से पहले अपने आंसू पोंछ लो। जल्दी।'

वे घर लौटे तो साढ़े ग्यारह बज चुके थे। एक अजीब-सी थकान तारी थी, जबकि मन एकदम हल्का। वह जूते उतारकर बिस्तर पर एक तरफ़ पसर गई। घुटनों से ज़रा ऊपर नीली स्कर्ट और ऑफ़ व्हाइट टी-शर्ट बिलकुल वैसी ही जैसी सारी सहकर्मी औरतें पहनती हैं। कंधों तक बाल थे ज़रा भूरे और आँखें हल्की नीली। ऐसा कुछ भी नहीं था जो उसे बाक़ी लड़कियों से अलग कर सके, लेकिन इस पल वह सबसे अलग लग रही थी। उसने हल्की अँगड़ाई ली तो उसका मन हुआ उसे बाँहों में भर ले और गर्दन पर चूम ले। वह यह कर सकता था, लेकिन जाने क्या था जो उसे रोक रहा था। इस उम्र तक पचासों पार्टनर्स के साथ उसे कभी कोई संकोच नहीं हुआ था, लेकिन आज एक अजीब-सी शर्म थी। उसने बैठने का इशारा किया तो वह बिस्तर पर दूसरी तरफ़ बैठ गया। थोड़ी देर तक एक चुप्पी रही फिर अचानक उसने पूछा, 'तुमने किसी को प्रेम किया है?' प्रेम! वह चौंका, 'तुम जानती हो प्रेम क्या होता है?' वह हँसी—'चलो तुमने 7 शब्द तो बोले एक साथ। हाँ मैं जानती हूँ प्रेम क्या होता है। उन्होंने पहले बहुत कोशिश की कि मर्दों की तरह औरतों को भी प्रेम का अर्थ भुला दें। लेकिन फिर औरतें पागल होने लगीं। हिंसक हो गईं। उनके रोने की शिक़ायतें इतनी आ गईं कि उन्हें माफ़ करना पड़ा। वे अब भी कोशिश करते हैं कि वे जिनसे प्रेम करती हैं, कभी उनकी पार्टनर न बन सकें। लेकिन औरतों ने उन अट्ठारह घंटों में भी प्रेम तलाश लिया। जैसे मैं इस वक़्त प्रेम करती हूँ तुमसे। तुम्हारी नादानियों से, तुम्हारे रूखेपन से, तुम्हारी उदासी से, तुम्हारे स्पर्श से। यह मेरी स्मृति में रहेगा।' स्मृति! वह फिर चौंका, 'स्मृति क्या होती है। प्लीज़ बताओ मुझे।' वह पहले हँसी फिर ज़रा उदास होकर उसे पास आने का इशारा किया। वह करीब आया तो उसने अपनी बाँहें फैलाकर सीने से लगा लिया और टी-शर्ट के दो और बटन्स खोल दिए। उसे एक घबराहट सी हुई, एक घुटन सी। फिर उसके भीतर एक ख़ुशबू सी भरने लगी। नींद के पहले की मदहोशी जैसी। टी शर्ट ज़रा ऊपर कर उसने उसकी नाभि हथेली से ढँक ली। उसने आँखें बन्द कर लीं और धीमे से कहा, 'यह स्पर्श, यह ख़ुशबू, यह झिझक...यही प्रेम है चाँद। यह जो नाम दिया है

मैंने तुम्हें अभी, चाँद, यही प्रेम है। तुम भी एक नाम दो मुझे।' उसने कहा, 'रचना!...और स्मृति!' 'अगली बार जब कोई स्त्री तुम्हारे साथ होगी तुम इन पलों को याद करोगे। फिर से जीना चाहोगे। जब तुम सोचोगे प्रेम के बारे में, तुम्हारे जेहन में एक नाम गूँजेगा—रचना। यह स्मृति है जो तड़पाएगी भी तुम्हें और सुख भी देगी।' उसने आँखें मूँद लीं और उसे सीने से और कस लिया।

उसे बहुत ज़ोर की प्यास लगी थी। अपने कंधों से उसका सिर हौले से हटा कमर पर लदा पैर परे कर पानी लेने के लिए बढ़ा ही था कि उसने पूछा, 'तुमने कहाँ सुने ये शब्द?' उसने उसकी तरफ़ पीठ किए-किए कहा, 'सुने नहीं, पढ़े। एक किताब में।' वह चौंकी, 'किताब! वह कहाँ मिली तुम्हें।' पानी का गिलास टेबल पर रखते हुए उसने गद्दा ज़रा-सा उठाया और वह किताब निकालकर उसके हाथ में दे दी, 'माँ ने जो तस्वीर दी थी भगवान की वह गिर गई एक दिन मुझसे। उसके फ्रेम के अन्दर थी यह किताब।' उसकी आँखें फटी की फटी रह गईं। उसने ऐसी किताबों के बारे में बस सुना था। जल्दी-जल्दी पलटने लगी। अब उस कमरे में जैसे वह थी और किताब थी। कपड़े पहनना भी जैसे भूल गई। पढ़ते-पढ़ते कभी रोने लगती तो कभी चेहरे पर एक स्मित खेल जाती। दो घंटे बीत गए। उसने किताब ख़त्म कर सिर ऊपर उठाया तो वह शांति से सामने कुर्सी पर बैठा था। वह उठी और उससे लिपट गई। हिचकियों की आवाज़ के बीच उसके आँसुओं से कमरा भर गया। वह खड़ा हुआ और उसे उठाकर सीने से लगा लिया। वह उसके सीने को चूमने लगी। जाने कब गिर गए दोनों बिस्तर पर और जब प्रवेश किया उसने उसकी देह में तो एक धीमी-सी आवाज़ कमरे में गूँज गई, 'मुझे माफ़ कर देना चाँद।'

उस रात उसने सपना देखा। वही पहाड़ी गाँव। एक बहुत पुराना संगीत भरा हुआ था माहौल में। हवा में रंग। लाल, पीले, नीले, हरे, गुलाबी। माँ आँगन में बैठी कुछ गा रही थी। नानी गाय का दूध निकालती गा रही थीं कुछ। सड़कों पर बेशुमार बच्चे। रंग फेंकते हुए शोर मचाते हुए। उन्हीं के बीच दिखी रचना। गुलाबी कपड़ों में। वह बढ़ा उसकी ओर तो वह भागी। भागते-भागते मंदिर के पीछे पहुँच गई। वहाँ थककर रुकी तो भर लिया बाँहों में। चूम लिये होंठ और लाल रंग लगाया तो बालों के बीच की सूनी रेखा जगर-मगर करने लगी। वह शर्माई-सी नदी की ओर भागी। दोनों धीरे-धीरे उतरे नदी में। एक

पत्थर तलाशा और बैठ गए पानी में पैर डालकर। वह गा रही थी कुछ बहुत धीमी आवाज़ में और मुस्कुरा रही थी। तभी झुकी वह और अपने बाल लहरों में भीग जाने दिए। वह हँसा और उसने बालों का जूड़ा बनाते हुए अचानक चूम लिया उसे। दोनों वैसे ही बँध गए आलिंगन में। तभी माँ के कराहने की आवाज़ पूरे गाँव की छतों पर उतर आई। दोनों ने देखा पलटकर। एक कसैली काली हवा बढ़ती चली आ रही थी। कस कर पकड़ लिया उसने उसका हाथ और देखते-ही-देखते उस हवा ने लील लिये सारे दृश्य। गाँव, नदी, पहाड़ और उन्हें भी।

~

वह अचकचा कर उठा तो चारों तरफ़ जैसे सफ़ेदी फैली हुई थी। बार-बार आँखें मलकर इधर-उधर देखा। एक मझोले आकार का कमरा था, जिसकी नंगी सफ़ेद दीवारों के बीच एक सिंगल बेड पर वह लेटा हुआ था। रचना कहीं नहीं थी। उसने उठने की कोशिश की तो लगा देह की सारी ताक़त निचुड़ गई है। बगल में एक स्टूल पर पानी की बोतल रखी हुई थी। उसने किसी तरह बोतल उठाई और आधी बोतल गटक गया। आशंकाएँ गहरे भरने लगीं। मन हुआ ज़ोर से चीख़े। लेकिन ताक़त कहाँ थी। एक बार ज़ोर लगाया उसने और तभी दरवाज़ा खुला। दो लोग भीतर आ रहे थे। सफ़ेद लिबास में एक डॉक्टर और नीली वर्दी में एक पुलिस अधिकारी। पुलिस अधिकारी ने मुस्कुराते हुए कहा, 'कैसे हो मिस्टर चाँद?' इसे कैसे पता चला यह नाम! वह पूछना ही चाहता था कि पुलिसवाला स्टूल पर बैठ गया—'चौंको मत। एक्ज़ीक्यूशन से पहले तुम्हें सब बताया जाएगा।'

'एक्ज़ीक्यूशन!' उसके मुँह से अचानक निकला, 'अभी तो मैं बस 36 साल का हूँ लेकिन।' उसने महसूस किया कि आवाज़ बाहर निकली ही नहीं। अब तक पुलिसवाला जम चुका था, 'मुझे आदेश हुआ है कि यह सब तुम्हें बताया जाये। जो किताब तुम्हें मिली थी वह तुम्हारी नानी की माँ की थी। वह कवि थी। जब ईस्टर्न कॉर्पोरेशन ने युद्ध के बाद इस इलाक़े पर क़ब्ज़ा किया तो कुछ लोग इसके ख़िलाफ़ लोगों को एकजुट करने लगे। वे पर्चे छापते थे, प्रचार करते थे और आंदोलन भी। वही हमारे भवन तोड़ देना। मज़दूरों को

भड़काना वगैरह। तुम्हारी नानी की माँ उनमें शामिल हो गईं। वह जो खाली गाँव है, तुम्हारी नानी का ही गाँव था। उसी मंदिर में छुपे थे सब। कॉर्पोरेशन ने ज़हरीली गैस से सबको मरवा डाला। लेकिन उसके पहले वह शायद यह किताब किसी तरह तुम्हारी नानी को दे गई थी। अपनी नानी का क़िस्सा तुम जानते ही हो। लगता है कि इस किताब को बचाने के लिए ही उसने मूर्तियाँ रखने का वह आंदोलन किया। अब तो हमें डर है कि इन औरतों ने मूर्तियों और तस्वीरों में जाने क्या-क्या छुपा रखा होगा। तुम्हारी माँ उन स्मृतियों को मिटा नहीं सकी। हमने पूरी व्यवस्था की कि उसको कोई बेटी नहीं बल्कि बेटा हो। तुम्हें बचपन से ऐसे पाला गया था कि इन बुरे विचारों का तुम पर कोई प्रभाव न पड़े और सोलह सालों तक तुम हमारे सबसे अनुशासित वर्कर रहे। लेकिन इस किताब ने तुम्हें बर्बाद कर दिया। शक़ तो हमें तभी हो गया था जब तुमने ईस्टर्न सर्च पर ''स्मृति और प्रेम'' सर्च करने की कोशिश की। फिर जब टूरिस्ट सजेशन में तुमने यह शामिल किया तो हमारा शक़ पुख़्ता हो गया। तुम्हारी पुरखिनों के ख़ून में ही शायद ये विचार भरे हुए हैं। तुम्हारे साथ ये नष्ट हो जाएँगे।'

उसने फिर पूछने की कोशिश की, 'रचना!'

'वह हमारी इंटेलीजेंस एजेंट है। उसे तुम्हारा सच पता लगाने के लिए भेजा गया था। उसने सच का पता लगा भी लिया। लेकिन तुम्हारी किताब ने उसका दिमाग भी ख़राब कर दिया। कल रात तुम्हें बेहोशी का इंजेक्शन देने के बाद से ही वह ग़ायब है और किताब भी। बस इससे ज़्यादा बताने की इजाज़त नहीं हमें।' उसने डॉक्टर की ओर इशारा किया। डॉक्टर आगे बढ़ा और उसकी बेजान बाजू में सीरिंज का सारा द्रव खाली कर दिया।

उसकी डूबती आँखों में एक पहाड़ उभर रहा था। बर्फ़ से ढँका पहाड़ जिस पर चाँद की रौशनी पड़ रही थी। औरतों की एक क़तार थी उस ओर जाते हुए...नानी की माँ...नानी...माँ...रचना...

उस तितली के रंग

मैंने घड़ी देखी।

साढ़े पाँच बजने ही वाले थे।

यानी पिछले आधे घंटे से इस शेड में बैठे थे हम।

हम नहीं मैं और वह...अचानक दिख गया था यह शेड। तिब्बती गहनों और बुद्ध की मूर्तियों की दुकानों के बीच एक सँकरी-सी गली से खुलता रास्ता दिखा तो मैंने उसे इशारा किया। वह एकदम से मुड़ गई। पहाड़ी सड़क की बालकनी हो जैसे। गोल शेड छतरी जैसा। बीच में एक खंभा और पत्थर की गोल बेंचें। लोहे की ज़ंग लगी रेलिंग के नीचे से एक झरना-सा बह रहा था, जिसकी दीवारों पर नीले-गुलाबी फर्न उगे थे और सामने पहाड़। मझले आकार के हरे पहाड़, जिनमें से रास्ते किसी चाँदी की करधनी से चमकते थे। मैंने कहा, 'देखो हम इन रास्तों से ही आए थे।' उसने बिना मेरी तरफ़ देखे कहा, 'थोड़ी देर में सूरज डूब जाएगा इन पहाड़ों में।' और बेंच पर बैठ गई। नीले कुर्ते पर उसने सफ़ेद फर वाला पुलोवर पहना था और काला मफ़लर। कंधों से ज़रा नीचे आते बालों में सफ़ेदी के कुछ हल्के निशान देखते हुए मुझे पहाड़ों में दिखतीं सड़कें याद आईं। कानों में उसने कुछ नहीं पहना था, एकदम गुलाबी कान जैसे ठंड से सिहर गए हों। मैं इस वक़्त उसकी आँखें देखना चाहता था। पिछले आधे घंटे से उसने अपनी पोज़ीशन भी नहीं बदली थी। जैसे प्रार्थना की मुद्रा में बैठी हो चर्च की सीट पर। एकाग्र, शान्त, उदास। मैंने सिगरेट जला ली। कुहरा उतरने लगा था और धुआँ उससे मिलकर और गाढ़ा लग रहा था। उसने दो अँगुलियाँ जोड़कर मेरी तरफ़ बढ़ाईं। मैंने उनमें सिगरेट फँसा दी। थोड़ी देर वैसे ही सिगरेट थामे रहने के बाद उसने एक बड़ा-सा कश लिया, जैसे गहरी साँस ले रही हो और

सिगरेट लौटा दी। सूरज अब डूब रहा था। हम उसे डूबते हुए ऐसे देख पा रहे थे जैसे कोई नब्ज़ हथेलियों के बीच हो और उसका डूबना महसूस कर पा रहे हों हम। उसने अचानक मेरी हथेलियाँ थाम लीं। ठण्डे हाथ एकदम बर्फ़ से। धीरे-धीरे दबाव बढ़ता गया और फिर एकाएक उसने मेरी तरफ़ देखा। उसकी बरौनियों में बूँदें उलझी थीं। चेहरा एकदम पत्थर-सा।

हम रास्ता भटक गए थे शायद। एक-सी दुकानें, एक जैसे घर, लेकिन जिस सड़क से आए यह वह नहीं थी। एकदम सपाट ढलान था लगातार। कई बार पाँव फिसले। दो लोगों से बस स्टैंड का रास्ता पूछा लेकिन उन्होंने जो बताया, उससे बस यह समझ आया कि आगे कहीं से दाहिनी तरफ़ एक गली जाती है, जिससे फिर बाएँ मुड़ना होगा। बस स्टैंड उससे भी आगे कहीं था। झुँझलाहट-सी हो रही थी मुझे। वह शान्त चली जा रही थी, अचानक बोली—'चलते रहो न। सारी ज़िन्दगी हम जाने-पहचाने रास्तों पर चलकर भी कहाँ पहुँचे।'

एकदम ऐसे ही मिल गई थी वह, जैसे बीस साल पहले बिछड़ गई थी। बिछड़ना बड़ा रोमांटिक-सा शब्द लगता है। जैसे कोई संयोग हो, कोई बाहरी ताक़त, कोई मजबूरी। यहाँ तो शायद यह कहना बेहतर होगा कि मिलना बन्द हो गया था या फिर यह कि मिलने की वजहें ख़त्म हो गई थीं या अवसर नहीं थे या पता नहीं।

मुख़्तसर-सा क़िस्सा था। उसने टेम्परर्री पोस्ट पर ज्वाइन किया था। टूरिंग जॉब। पहला टूर एक सीनियर के साथ भेजा गया। लौटकर उसने इस्तीफ़ा थमा दिया डायरेक्टर को। डायरेक्टर ने मुझे बुलाया और हिदायतों के साथ उसे अगले टूर पर साथ ले जाने का आदेश दिया। फिर हमारी टीम बन गई। अगले दो साल लगभग हर हफ़्ते में तीन दिन बाहर साथ। मैं शादी कर चुका था वह करने वाली थी। बात करते-करते अनामिका में पहनी अँगुली पर टिक जातीं उसकी निगाहें और फिर वह किसी और दुनिया में होती। मैं छेड़ता तो खिलखिलाकर हँस पड़ती, कभी गम्भीर हो जाती।

एक शाम कहीं से लौट रहे थे हम और उसने कहा, 'जितना तुम्हारे साथ स्कूटर पर घूमी हूँ उतना तो रिचर्ड भी नहीं घुमा पाएगा।' एक रात जब उसे बस स्टैंड पर छोड़ने जा रहा था तो बोली, 'शादी के बाद भी कैसे रह लेते हो इतना अकेले?' एक रात जब किसी आदिवासी गाँव की पंचायत के बाहर

अगल-बगल लगी खाट पर सोने की कोशिश कर रहे थे हम तो उसने कहा, 'तुम्हारे साथ जाने क्यों कहीं असहज नहीं लगता।' एक दोपहर जब पसीने से लथपथ हम किसी रेस्तराँ में घुस रहे थे तो उसने कहा, 'इतना गंदा तो मुझे रिचर्ड ने कभी देखा ही न होगा।' फिर जब ख़त्म हुआ उसका टर्म तो मैंने कहा, 'रोज़ पूछती हो ना कि वाकई खाना बनाना आता है तुम्हें? आओ, आज तुम्हें घर पर पार्टी देता हूँ।' उसने कहा, 'नहीं घर नहीं आऊँगी'...और पार्किंग के उस एकान्त में हग किया तो लगा जैसे सीने पर बहुत धीमे से चूमा है।

इतने सालों बाद एक सुबह फ़ेसबुक पर फ़िल्टर्ड मैसेज चेक करते हुए वह मैसेज मिला—

'नील!! पहचाना? सुनीता क्रिश्चियन।'

'वॉव! इतने दिनों बाद? क्या हाल है? कैसा है रिचर्ड?'

'रिचर्ड के कैसे होने से तय होगा हाल?' एक शरारती स्माइली आई।

बदले में वही शरारती स्माइली चिपका के मैंने पूछा, 'कहाँ हो? अहमदाबाद में ही?'

उसने लिखा, 'नहीं तुम्हारे शहर में। नम्बर लो दस बजे के बाद फ्री हो तो बात करते हैं।'

उसे पहाड़ पर जाना था। उसे दिल्ली से दूर जाना था। उसे शान्ति चाहिए थी। उसे दो अपने दिन चाहिए थे। उसे बस कहीं निकल जाना था। उसे अकेले जाने से डर लगता था।

लेकिन इस वक़्त वह अकेली ही थी। एक भूले हुए रास्ते पर चलती हुई निश्चिंत। जैसे जाने कहाँ जाना हो। जैसे कहीं नहीं जाना हो। उसके पीछे चलता हुआ मैं लगातार इधर-उधर से रास्ते की शिनाख़्त कर रहा था। अचानक वह रुकी। नीचे की तरफ़ उतरती हुई एक सड़क की ओर इशारा करते हुए उसने कहा, 'हम इसी रास्ते से आए थे। मैं जानती हूँ इसी से लौटकर सही जगह पहुँचेंगे। लेकिन मैं आज ग़लत जगह जाना चाहती हूँ नील।' आठ बज रहे थे। अँधेरा अब गलियों में भी जमने लगा था। थकान भी। मैं वहीं एक पत्थर पर बैठ गया, 'बोलो कहाँ जाना चाहती हो? मैं हूँ तुम्हारे साथ।'

'यह पता होते ही वह जगह सही हो जाएगी। ग़लत जगह पहुँचने के लिए उसका निश्चित न होना ही ज़रूरी है। तुम्हें याद है, मैं हर टूर पर कितना रिसर्च किया करती थी। मुझे नक़्शे में सिर गड़ाए देख तुम हँसते थे—''ग्लोब पर नया गाँव नहीं ढूँढ़ना है मैडम।'' और हम कभी नहीं भटके...हालाँकि चांस थे। लेकिन दोनों इतने सावधान थे। आज भटकना चाहती हूँ और पता है भटक नहीं पाऊँगी। कहीं कोई मिल जाएगा रास्ता बताने वाला। कोई ऑटोवाला। कोई पुलिस की गाड़ी...और लौटा ले जाएगा वहीं जहाँ जाना है। होटलवाला मुस्कुराएगा, हम भी। भटकने का सुख थकान में बदल जाएगा।' और वह नीचे उतरती सड़क पर उतरने लगी। सड़क जैसे-जैसे नीचे उतर रही थी अँधेरा बढ़ता जा रहा था। बहुत थोड़े से घर। कुछ गुमटीनुमा दुकानें और ढेर सारी खाली जगहें। रौशनी ने आते समय जो छिपाया था अँधेरे ने सब बेपर्दा कर दिया।

~

बॉलकनी के उस पार अँधेरे का एक गहरा दरिया था, जिसमें कोई घर था किसी जहाज़-सा, जिस पर रौशनी का एक धब्बा था लाइट हाउस-सा। उसने अँगुली का इशारा करते हुए कहा, 'देखो कोई भटका हो तो वहाँ पहुँच जाये रौशनी का पीछा करते-करते। मुश्किल तब होती है जब रास्ता पता हो और रौशनी भी हो और वहाँ पहुँचो तो लगे ग़लत जगह आ गए।' अचानक एक सवाल मेरी ज़बान की कोर तक आया और कसैला कर गया तो मैंने थूक के साथ निगल लिया। लेकिन कुछ तो पूछना ही था, 'तुमने कब शुरू की शराब?' वह हँसी या यह कहना ठीक होगा कि उसने हँसने की कोशिश की, 'आज अभी। सिगरेट दोपहर में शुरू की थी। शराब शाम को।' मैं चौंका। लौटते हुए मैंने यों ही पूछा था, 'कुछ पियोगी।' उसने कहा था, 'ले लो।' मैंने पूछा था, 'कौन-सी?' उसने कहा था, 'कोई भी।'

फिर एक ख़ामोशी थी। बैरा एक सुलगती हुई सिगड़ी पर सिंकता सिज़लर रख गया था जिससे बीच-बीच में छन्न की आवाज़ आती थी। उसका गिलास खाली था। तीसरा पैग बनाते हुए मैं हिचक रहा था। इस बार वह हँसी, 'नील, यार तुम बिलकुल नहीं बदले। बेहोश भी हो गई तो मुझे पता है तुम मेरे कमरे तक पहुँचा दोगे।' हँसना मुझे भी था, 'तबियत भी बिगड़ सकती है मैम।'

एकबारगी लगा जैसे अँधेरे के दरिया में रुके उस घर से आई हो आवाज़—'जो बिगड़ना था बिगड़ चुका नील। अब बनने की कोई ख़्वाहिश नहीं बची।'

बैरा यह बता कर जा चुका था कि अब कोई सर्विस संभव नहीं होगी। ठण्ड एकदम से बढ़ने लगी थी। अगल-बगल की सभी बॉलकनीज़ की लाइट्स एक-एक कर ऑफ़ हो चुकी थीं। लेकिन जैसे वह किसी टाइम फ्रेम में जड़ हो गई थी। टेबल पर साँवले पाँव, आँखें बन्द और कुर्सी के सहारे टिका सिर। काला मफ़लर अब भी गर्दन में वैसे ही लिपटा हुआ था। उसने कुछ नहीं खाया था। मैं उठकर कुर्सी के पीछे गया। माथा सहलाते हुए बहुत धीमे से कहा, 'कुछ खा लो सुनीता।' लेकिन उस तरफ़ एक ख़ामोशी थी। माथा छुआ तो बर्फ़-सा ठण्डा। सहारा देकर उठाया तो उसने गले में बाँहें डाल दीं। बिस्तर पर लिटाकर रज़ाई ओढ़ाई। कितनी शान्त आँखें थीं उसकी। बीस साल पहले हमेशा शरारत और उत्सुकता से भरी रहने वाली आँखें जैसे समय की नदी में तैरते-तैरते थक गई हों। अचानक मन हुआ चूम लेने का।

~

सुबह से बारिश हो रही थी। हम निकले तो बहुत महीन-सी बूँदें थीं। ऑटोवाले ने क़ब्रिस्तान पर रोका और कहा, 'भीग जाएँगे आप लोग।' वह कई और जगहों की सलाह दे रहा था, लेकिन वह बज़िद थी। मुझे लगा, शायद उसे चर्च जाना हो, लेकिन मैं चर्च की तरफ़ बढ़ा तो उसने रोक लिया, 'वहाँ कोई नहीं है। यहाँ बैठते हैं। जहाँ यादें हैं इन्सानों की। तुम्हें पता है इस क़ब्रिस्तान में ज़्यादातर 1857 के बलवे में मार दिये गए लोग दफ़न हैं। अपने घर से हज़ारों मील दूर। कितने ही ऐसे होंगे जिनका कोई अपना कभी फूल चढ़ाने भी नहीं आया होगा।' फिर अचानक घूमी मेरी तरफ़, 'मान लो मैं मर जाऊँ अभी यहीं तो इस क़ब्रिस्तान में ही दफ़ना दोगे ना? फूल चढ़ा देना लौटने से पहले, क्योंकि फिर कभी कोई नहीं आएगा।' मैं कुछ बोलने को हुआ तो उसने रोक दिया और एक पेड़ के नीचे बैठकर मेरे लिए जगह बना दी।

एक ऊब-सी होने लगी थी अब। कोई घंटे भर से हम वैसे ही बैठे हुए थे। पत्तों पर ठहरी बूँदें भारी होतीं तो टपक पड़तीं। पुरानी क़ब्रों पर उगी हरियाली

में खो जातीं। मैंने लिखावट पढ़ने की कोशिश की। साल भर पहले शादी करके हिन्दुस्तान आई 19 साल की उम्र में 17 जुलाई 1856 में किसी बीमारी का शिकार हो कर मर गई मिसेज़ एलेना मारग्रेट ह्यूज़। पति कम्पनी की सेना में कर्नल। 'यह बलवे में नहीं मरी थी,' मैंने यों ही कहा।

'मर गई इसलिए बलवे से बच गई,' वह वैसे ही बैठी थी निश्चल। सिगरेट जलाई तो उसने दो कश लिए। मैंने उसके कंधों पर आहिस्ता से हाथ रखा और कहा, 'सुनीता। कुछ है भीतर। कह दो उसे। मुझसे नहीं। चर्च में कनफ़ेस कर आओ। शान्ति मिलेगी अगर बोझ हट जाएगा।' वह हँसी। पहले हल्की मुस्कुराहट। फिर हँसी...तेज़...और तेज़। मैंने घबरा कर अगल-बगल देखा। कोई नहीं था। अब तक उसकी हँसी हिचकियों में तब्दील हो गई थी। मैंने उसका चेहरा अपनी तरफ़ किया। वह रो रही थी। चुप कराने की कोशिश में चेहरा हाथों में लिया तो वह कंधों पर टिक गई, जैसे कह रही हो, 'रो लेने दो प्लीज़' और फिर एकदम अचानक उठ खड़ी हुई—'होटल चलो नील।'

उसकी आँखें पहले एक तितली में बदलीं। नीली तितली जिस पर सुनहरी ज़री बूटी थी। फिर उस पर से रंग एक-एक कर ऑटो से बाहर चले गए। उसने शॉल कसकर लपेटी जैसे रोक लेने हों कुछ रंग। वह क़ब्रिस्तान से मैरून शॉल पर कुछ तिनके बटोर लाई थी। उनमें से कुछ जैसे तितली के पंखों पर जा बैठे तो उड़ान सहम गई। मैं उस तितली को थामना चाहता था लेकिन वह आकर मेरे कन्धों पर बैठ गई और कमरे तक आई।

एक बहुत धीमी आवाज़ जैसे उस तितली का पीछा कर रही थी, 'वह नौकरी छूटने के तीन महीने के अन्दर हमने शादी कर ली। तुम्हें बुलाना चाहती थी लेकिन एक तो यह गुस्सा था कि उसके बाद तुमने एक फ़ोन तक न किया दूसरे ऑफ़िस से पता चला कि तुम्हारा ट्रांसफ़र हो गया है। फिर वैसा ही था, सब कुछ जैसा होता है। हनीमून के लिए पांडिचेरी गए थे हम। ठीक दसवें महीने जो आ गया, चार किलो का मोटा ताज़ा बेटा। दो साल निकल गए उसके साथ। बीच में उसी जॉब के परमानेंट के लिए रिटन दिया था। रिज़ल्ट आया तो इंटरव्यू भी दे दिया। सेलेक्शन हुआ तो लगा, बस अब और क्या चाहिए। रिचर्ड अपने काम में रमा हुआ था। पहले किसी के अंडर में काम करता था,

अब अपना ऑफ़िस खोल लिया था। सी.ए. था ना। ख़ूब काम आ रहा था। माँ का घर पास में था, तो जो ज़्यादा वक़्त उन्हीं के पास रहता। सात-आठ साल कैसे निकल गए पता ही न चला। टूरिंग की भी अब आदत-सी हो गई थी तो उसकी बहुत टेंशन रहती नहीं। जो स्कूल जाने लगा था। सब एकदम नॉर्मल। लेकिन कुछ था जो बदल रहा था।'

कुर्सी से सिर टिकाते हुए उसने आँखें मूँद लीं। मुझे अपने कन्धों पर जैसे एक नमी-सी महसूस हुई। उसने पाँव आहिस्ता से उठाकर बेड पर रख दिए। दोनों हाथ जोड़कर सीने पर रखे तो अँगुलियाँ देखीं। पतली साँवली नुकीली अँगुलियाँ। अचानक उसने एक हाथ मेरी तरफ़ बढ़ाया, वैसे ही दो अँगुलियाँ जोड़कर। मैंने सिगरेट थमा दी। देर तक जैसे उसकी लौ को देखती रही फिर एक लम्बा कश। धुआँ निकला तो उसने धीमे-धीमे आँखें खोलीं, 'कुछ था जो बुझने लगा था। हम अब भी वीकेंड्स को बाहर जाते। अब भी त्यौहार मनाते। अब भी पार्टियाँ होतीं। अब भी वह रातों में पागल होता। अब भी मैं उसकी एक पुकार पर सिमट जाती उसकी बाँहों में। पर कुछ था जो बदल रहा था।' उसने सिगरेट मुझे वापस करने की जगह ऐश-ट्रे में मसल दी। 'पता है जब तुम्हारे बारे में पता चला ऑफ़िस में से ही किसी से तो एक बार मुझे आश्चर्य हुआ। तुम्हारे जैसा सुलझा हुआ इन्सान भी! फिर लगा जैसे सुलझने-उलझने का मामला ही नहीं है। शायद कोई एक्सपायरी डेट होती हो प्रेम की भी। लेकिन मैंने उससे समझौता कर लिया था। परिवार था। घर था। रिचर्ड अब भी प्यार करता था मुझे। मैं कोशिश करती अपनी तरह से। जिम ज्वाइन कर लिया। वज़न घटाया। पार्लर जाने लगी, वह मुस्कुराई, लांजेरी ले आई सुन्दर-सुन्दर। मुझे लगा वह ख़ुश होता है और वक़्त तो निकल ही रहा था दौड़ते-भागते।'

वह कुर्सी से उठी। बालकनी में जाकर खड़ी हुई तो मुझे लगा जैसे आँखें पोंछी हैं उसने। बारिश अब भी जारी थी बदस्तूर। अँधेरे की दरिया में साफ़ दिखता वह घर जैसे हरे समन्दर में डूब गया था। मैं चुपचाप जाकर बगल में खड़ा हो गया। उसने एक बार मुड़कर मेरी तरफ़ देखा और फिर कहीं शून्य में नज़रें गड़ा दीं, वह बेरंग तितली धुँध में उड़कर खो गई कहीं, 'उसे पहली बार देखा तो तुम्हारी याद आई। ऐसे ही शान्त, केयरिंग और मेहनती। जैसे रोल बदल गए थे। तब मैं आई थी और तुम्हें भेजा गया था मेरे साथ अब वह नया आया था

और मुझे उसे लेकर फ़ील्ड में जाना था। कितना ख़याल रखता। मैम मैं कर लूँगा आप रेस्ट कर लो। मैम कुछ खा लो आप। फ़ील्ड में जैसे पंख लग जाते उसके पैरों को। एक पुरानी मोटरसाइकिल थी। कहीं भी लेकर पहुँच जाता मुझे। पेपर्स हमेशा समय से तैयार। पक्की टीम बन गई थी हमारी। अकेला रहता था तो अक्सर मैं उसके लिए लंच पैक कर लेती। डेढ़ साल साथ काम किया और एक दोस्ती सी तो हो ही जाती है ना। कई बार रुकना भी पड़ा बाहर। उसके साथ कोई हिचक नहीं होती थी। जैसे तुम्हारे साथ नहीं हुई कभी।'

उसने फिर सिगरेट के लिए अँगुलियाँ बढ़ाईं। बालकनी की ओर पीठ कर ली और मेरी आँखों में आँखें डाल कर जैसे कुछ तलाश कर रही थी, 'उस दिन रुकने का मन बिलकुल नहीं था मेरा। जो के एग्ज़ाम्स चल रहे थे। लेकिन उसकी बाइक ख़राब हो गई थी और बारिश भी हो रही थी। उसने रेस्ट हाउस में बात कर ली और बोला, ''एकदम सुबह-सुबह निकल पड़ेंगे।'' नॉर्मल था न नील। टूरिंग जॉब में कितना नॉर्मल है यह सब। रिचर्ड को फ़ोन किया और मैं रुक गई। थकान थी, कब नींद आई पता ही न चला। अचानक खुली नींद तो...एक बार को भरोसा ही ना हुआ। सारे कपड़े अस्त-व्यस्त थे मेरे। पता नहीं कब हुआ यह सब। वह पागलों की तरह चूम रहा था मुझे। चीख़ी मैं तो मुँह बन्द कर दिया उसने। पता नहीं कहाँ से आई ताक़त और मैंने दोनों पैर जोड़ लिए कस के। दरवाज़े बन्द कर लेते हैं न हम। उसने ज़बरदस्ती करने की कोशिश की तो मैंने उसके बाल नोच लिए। फिर सारी ताक़त जोड़ कर एक घूँसा जड़ा। वह कमज़ोर पड़ा तो एक तेज़ लात उसके पेट पर। वह ज़मीन पर बैठा था और मैं रो रही थी। दौड़कर लाइट जलाई तो उसे भी होश आया जैसे। पैर पकड़ लिए। माफ़ियाँ। रोना। धक्का देकर कमरे से बाहर किया उसे और सूरज की पहली किरण के साथ बस स्टैंड आ गई।'

'उफ़'...मैंने कंधे पर हाथ रखा तो हँस पड़ी। 'सुन लो नील। सब सुन लो। उफ़ कहने के बहुत मौके आयेंगे। मैंने भी कहाँ कहा कभी किसी से। रिचर्ड से कहा आकर। गुस्से में थी भयानक। शिक़ायत करनी थी ऑफ़िस में। नौकरी लेनी थी कमीने की। रोक दिया रिचर्ड ने। बेकार में बदनामी होगी। पूरी बिरादरी जान जाएगी। तमाशा मचेगा। दस तरह की बातें होंगी। मैं नहीं मानी तो जो की कसम खिला दी। मैं चुप हो गई। एकदम चुप। उसने ऑफ़िस में कई बार बात करने

की कोशिश की। मैं चुप। टूर की जगह एडमिन के लिए कहा तो डायरेक्टर ने पूछा। मैं चुप। लम्बी छुट्टी लगा दी। सोचा, वक़्त भर देगा मरहम। रिचर्ड ख़ूब प्यार से बात करता। जो के एग्ज़ाम्स के बाद घूमने भी गए। बट ...'

'बट'...मैंने पूछा...वह कुछ नहीं सुन रही थी। उसने फिर पीठ कर ली मेरी तरफ़। 'बट आय वाज़ नेवर लव्ड अगेन। शुरू में तो मैं सोच ही नहीं पाई इस तरफ़। बाद में एहसास हुआ। रिचर्ड अवॉयड कर रहा था मुझे। मैं पास जाती तो कभी थकान का बहाना करता, कभी कुछ, कभी कुछ। कई महीने बीत गए। उस दिन एनिवर्सरी थी हमारी। हर साल की तरह पार्टी दी रिचर्ड ने। शैम्पेन खुली। म्यूज़िक। डांस। रात में जब अकेले हुए हम तो ज़ोर से हग किया मैंने। हल्के नशे में था वह। मैं आगे बढ़ने लगी। लगा महीनों की बर्फ़ पिघल जाएगी आज। मुझे उसके होंठों में पिघलना हमेशा से पसंद था। हाथ कमर पर कसते जा रहे थे, मैं किसी और दुनिया में जा रही थी कि अचानक...अचानक वह धक्का। बेड के किनारे से लगा सिर। वह चीख़ रहा था—"तुम्हारी देह से बदबू आती है मुझे। झूठ बोला था तुमने। सब हुआ था उस रात। मैं जानता हूँ तुम्हें। तुम्हारी लस्ट को। ही इज़ यंग। पिघल गई होगी तुम। फिर मेरे सामने नाटक"—मुझे गर्दन से पकड़ लिया उसने—"बताओ कितना सेक्स चाहिए तुम्हें? कितना? बड़ा गुरूर है ना इन बालों पर तुम्हें। खोले हुए घूमती हो। यू लुक लाइक मेड्यूसा।" '

मैं वहीं बैठ गया। चुप। थोड़ी देर तक सिर्फ़ बारिश की आवाज़ आती रही उस बालकनी में। फिर वहीं बगल में बैठ गई वह। 'अगली सुबह मैंने सामान पैक किया और बाहर निकल गई। महीने भर एक वर्किंग हॉस्टल में रही। उसने कई फ़ोन किये। मिलने की कोशिश। मैं नहीं मिली। ट्रांसफ़र के लिए जान लगा दी और आने से पहले तलाक़ का नोटिस भिजवा दिया। दो साल हो गए। कभी बाल खोलकर नहीं निकली बाहर। अक्सर अकेले में देखती हूँ खुद को। मेड्यूसा की पेंटिंग्स देखती हूँ ढूँढ़ कर। नागिन से उसके बाल! आँखें! कैसी जलती-सी आँखें हैं! सोचती हूँ क्या ग़लती थी उसकी! कामना का होना ही ग़लत है नील? किसमें नहीं होती कामना? स्वीकार करती हूँ आज। है मुझमें कामना। अथाह कामना। और जगी है कई बार उसके बिना भी। उस शाम जब तुमने घर बुलाया था, जगी थी कामना और मैं बहकना नहीं चाहती थी। मना किया तुम्हें। हग किया था जब तुमने तो जागी थी कामना। जब जगी,

रोक लिया या मोड़ दिया उसकी ही तरफ़। कई बार उसकी बाँहों में होते एक क्षण को आये थे तुम या कोई और भी ख़याल में, फिर झटक दिया था। डूब गई उसमें ही तब भी जब वह होते हुए मेरे पास नहीं था वहाँ। कल रात जब सुला रहे थे तुम मुझे तो हुआ था मन कि चूम लूँ...मानती हूँ...स्वीकार करती हूँ अपनी कामना। लस्ट कह लो उसे। वह भी स्वीकार है। लेकिन उस रात? उस रात कैसे जाग सकती थी कामना नील? उसके वहशीपने में मेरी कामना कैसे पनप पाती! जो साथी रहा मेरी कामनाओं का इतने बरस, वह ऐसे कैसे सोच सकता था! उसी क्षण सब ख़त्म हो गया था। सब...'

मैंने कॉफ़ी दी उसके हाथों में। वह अब तक काँप रही थी। मैंने कन्धों पर हाथ रख दिए तो वह मुझे देखते हुए शून्य को देख रही थी जैसे। शब्दों का एक गुबार-सा उठा भीतर और होंठों तक आते शान्त हो गया। उसने दाहिना हाथ उठाया और कस के बँधे हुए बाल मेरी अँगुलियों से किसी पहाड़ी नदीकी तरह गुज़र से गए।

घड़ी पाँच बजा रही थी।

मैंने धीमे से कहा—'7 बजे की बस है।' वह कुछ नहीं सुन रही थी।

शून्य में बनी कई-कई आकृतियाँ और वह तितली लौट आई धुंध में भटक कर जाने कहाँ से वापस ले अपने रंग।

जंगल

झिर्रियों से आ रही हवा किसी धारदार हथियार की तरह ज़ख़्मी कर रही थी। गोमती ने साड़ी का पल्लू चेहरे पर लपेट लिया और बाबू को और कस के भींच लिया। रामेसर ने बीड़ी सुलगा ली थी। गोमती का मन किया कि माँग के दो कश लगा ले तो थोड़ी ठण्ड कटे। यह सोचकर ही उसके होंठों पर एक हल्की-सी मुस्कुराहट तैर गयी। बचपन में दादा बीड़ी सुलगाने के लिये देते तो चूल्हे से सुलगाने के बहाने दो फूँक मार लेती थी और कभी-कभी बुआ के साथ बंडल से दो बीड़ी पार करके नहर उस पार की निहाल पंडिज्जी की बारी में बुढ़वा पीपल के पीछे। पीपल का ख़याल आते ही जैसे ढेर सारा कड़वा थूक मुँह में भर आया हो। एकदम से पूछा, 'केतना घण्टा और लगेगा।' रामेसर ने बीड़ी का अंतिम कश खींचा और फिर ठूँठ को खिड़की से रगड़ते हुए बोला, 'दू बज रहा होगा। सात बजे का टाइम है। सो काहे नहीं जाती?'...

'नींद नहीं आ रही है।' गोमती ने ठण्ड का जानबूझकर कोई ज़िक्र नहीं किया था। 'काहे, घर का याद आ रहा है का,' रामेसर ने मफ़लर को और कस के लपेटते हुए पूछा।

'नाहीं।'

उसने ऐसे ही चारों तरफ़ नज़रें फिराईं। डब्बा खचाखच भरा हुआ था। खिड़की के पास की दो सीटों में ख़ुद वे चार जन सिमटे हुए थे। बीच की जगह में एक बूढ़ा आदमी अधलेटा-सा हो गया था। रास्ते में चार-पाँच लोग, बगल की लम्बी सीटों पर छह-छह लोग जमे थे और उनके बीच तीन लोग टेढ़े-मेढ़े होकर पड़े हुए थे। ऊपर की सीट पर चार-पाँच लोग उकड़ूँ होकर बैठे थे। बच्चों की तो गिनती ही नहीं। सामने पंखों पर सबने अपने जूते सजा

दिए थे। 'भीड़-भाड़ में हजार तरह का लोग रहता है, कोई जुतवे उठा ले गया तो?' उसने ग़ौर से देखा तो सारे जूते-चप्पल सीट के नीचे रखे थे। उसे बहुत ज़ोर से पेशाब आ रही थी, लेकिन पिछले आधे घंटे से कई बार गैलरी का नज़री मुआयना कर लेने के बाद उसकी हिम्मत जवाब दे गयी थी। उसे पिछले साल की रैली की याद आई। रामनक्षत्तर ट्रॉलियों में भरकर ले गये थे बहन जी की रैली में। सुबह आठ बजे के निकले बारह बजे पहुँचे थे सब लोग लखनऊ। कितने सारे आदमी-औरत। जहाँ तक देखो बस लोग ही लोग। रामनक्षत्तर बता रहे थे चार लाख लोग पहुँचे थे। गरमी का दिन। आसमान से जैसे आग बरस रही थी। दूर-दूर तक न पानी, न खाना। चार बजते-बजते हालत ख़राब हो गयी थी। मर्द लोग तो वहीं किनारे शुरू हो गये। अब औरतें कहाँ जायें? सब की सब बस एक-दूसरे का मुँह देखें और मुस्कुरायें। बहन जी ने क्या कहा कुछ समझ नहीं आया। एक बार तो मन किया कि वहीं किनारे बैठ जायें। लेकिन गाँव-जवार के सारे बड़े-बुजुर्ग और लौंडे अलग। आठ बजे जब ट्रॉली लौटनी शुरू हुई और लखनऊ से बाहर निकली तब जाकर शान्ति मिली।

'सात बजने में अभी पाँच घण्टा है!' शायद सुबह लोगों की नींद खुले तो कुछ जगह बने। बाबू फिर से कुनमुनाया तो गोमती ने उसे खींच कर चिपका लिया।

रामेसर ने बंडल निकाला तो बस तीन बीड़ियाँ और बची थीं। 'जब से स्टेशन पर बीड़ी-सिगरेट मिलना बन्द हुआ है आफ़त हो गयी है। बारह-पन्द्रह साल के लौंडे बेचने आते हैं और तीन रुपये की बीड़ी पाँच-दस रुपये में देते हैं, माचिस का भी दो रुपया अलग से माँगते हैं। इसीलिए निकलने से पहले ही उसने दो बंडल रख लिए थे। लेकिन अट्ठारह घण्टा का रास्ता। अब खाली रहो तो और मन करता है। अभी चार-पाँच घण्टे हैं। लेकिन रात में तो कोई बेचने वाला भी नहीं आयेगा और एक तो बचानी ही होगी नहीं तो सबेरे-सबेरे समस्या हो जायेगी।' उसने बंडल वैसे ही अंटी में डाल लिया।

चलने से पहले मन में जितना उछाह था, शहर के पास आने के साथ-साथ मन उतना ही घबरा रहा था। 'खदान का काम, न ढंग का घर, न दुआर, जंगल में दिन-रात। कैसे रहेगी गोमती? खेती-बारी की बात और है लेकिन यहाँ तो दिन-रात पत्थरों के बीच खटना है। न खाने का कोई टाइम, न सोने

का। ऊपर से बस्ती का माहौल। उसको तो शराब की महक से घिन आती है और यहाँ तो दिन-रात शराब बनती है। कैसे रहेगी उस महौल में? और बच्चे? कैसे पलेंगे? बाबू तो अभी तीन बरस का है और बबलू आठ का। यहाँ कहाँ स्कूल वगैरह और मालिक तो ऐसा जबर कि बबलू को भी खटाने के लिये कहेगा। लेकिन बबलू को काम नहीं करने दूँगा। क्या करें कोई चारा भी तो नहीं। जब तक बाबूजी थे सहारा था। अब गाँव में भी अकेली औरत ज़ात कैसे रहेगी? पट्टीदारों का क्या भरोसा? साथ रह के तो एक की कमाई में भी चार पेट पल जायेंगे पर यहाँ से पैसा भेजना कहाँ मुमकिन है? और गाँव में तो अब मज़दूरी भी नहीं है। ज़मीन धकाधक शहर के सेठ लोग खरीद रहे हैं और खेती का जो थोड़ा-बहुत काम है भी, सब ट्रैक्टर और थ्रेशर से हो रहा है।'

सोचते-सोचते दिमाग भन्ना गया। एक बीड़ी और सुलगा ली। बबलू ने नींद में बैठे-बैठे करवट ली तो हाथ उसकी गरदन से लिपट गये। 'कितने सुंदर हाथ। जब नई-नई आयी थी गोमती तो बिलकुल ऐसे ही हाथ थे। नरम-नरम। अँधेरे में छुओ तो जैसे कोई खरगोश। दस साल में क्या से क्या हो गया! खेत बिके, मज़दूरी गयी, पहले अम्मा...फिर बाबूजी और अब गाँव भी छूट गया। मज़दूरी करते-करते हाथ पत्थर हो गये और घर की शोभा अब खदान में खटेगी! हाय रे तकदीर। जाने क्या-क्या लिखा है भाग्य में। कितना सोचा कि चार पैसे इकट्ठे हो जायें तो कोई ढंग का काम कर ले। कहीं चौकीदारी ही मिल जाये। लेकिन अब क़िस्मत में पत्थर तोड़ना ही लिखा था तो क्या करे? तीन साल में दो-दो मौत। सारी जमा-पूँजी हवा हो गयी। शहर में काम करने जाओ तो एक कमरे का किराया ही पाँच-सात सौ पड़ जाता है। बिना ज़मानत रखे कोई काम नहीं देता। पहले महीने की पगार ज़मानत रखो तो दो महीने खायेंगे कैसे? लेकिन अब दो जन हो गये और गाँव का कोई चक्कर भी नहीं रहा तो साल-छह महीने में तीन-चार हज़ार बचा लेंगे। फिर चौकीदारी कर लूँगा किसी बिल्डिंग में। वहीं दो-चार घर का काम कर लेगी गोमती भी। बच्चों को स्कूल में डाल देंगे। सब ठीक हो जायेगा।' बीड़ी ख़त्म होते-होते ख़याल सुलझने लगे तो मन शान्त हो गया।

खिड़की से बाहर देखा तो सूरज की लाली उभरने लगी थी। सरसों

के खेतों के उस पार सूरज धीरे-धीरे आँखें खोल रहा था। पीली सरसों ने मन में पुरानी हूक जगा दी। 'अभी चार साल पहले तक अपने खेत में उगती थी सरसों। पाँच कट्ठा का नहर किनारे का खेत। अम्मा सरसों देखतीं तो निहाल हो जातीं। कहतीं... "जैसे नई बहुरिया आई है पीयरी पहिन के।" कटते ही बुकुआ पीसतीं। बबलू को रगड़-रगड़ के लगातीं। सरसों का तेल और बुकुआ। पूरे घर में महक भर जाती।' देखते ही देखते खेत पीछे छूट गये और मकानों की बेतरतीब भीड़ उभरने लगी। 'यह सफ़र भी ज़िन्दगी के सफ़र जैसा ही है। ख़ूबसूरत चीज़ें कितनी जल्दी बीत जाती हैं!' उसने खिड़की से निगाहें हटा लीं।

दद्दा

दद्दा ने खिड़की से निगाहें फेरीं तो फिर मन में भूचाल आने लगा। वही सपना बार-बार खुली आँखों के सामने घूमने लगा। सारे खेत में सरसों खिली है, पीले-पीले फूल यहाँ से वहाँ तक दानों के आने की ख़बर लिये खिलखिला रहे हैं और तभी अचानक चारों तरफ़ से बड़ी-बड़ी मशीनें...जैसे राक्षसों की सेना ने ब्रज पर हमला बोल दिया हो! देखते-देखते पूरा खेत उजड़ रहा है। दद्दा उनके पीछे-पीछे भाग रहे हैं बदहवास से चीख़ते हुए। पर कोई फ़ायदा नहीं। मशीनों के शोर में उनकी आवाज़ कहीं नहीं सुनाई देती। सारे ड्राइवर ज़ोर-ज़ोर से अट्टहास कर रहे हैं। अचानक उनमें से एक पीछे मुड़कर देखता है। संतोष! दद्दा की चीख निकल जाती है। कितनी रातों से बस यही एक सपना। न सोने देता है—न जगने देता है। बिस्तर जैसे दुश्मन हो गया है। देखें तो कौन-सी कमी है? महल जैसा घर, नौकर-चाकर, गाड़ियाँ, रोब-रुतबा सब तो है, लेकिन दद्दा तो वही ढूँढ़ते हैं जो छूट गया पीछे। घड़ी में देखा तो अभी पाँच बजे थे, इस घर में सात बजे से पहले कोई नहीं उठता। गाँव होता तो अब तक कितना काम निपट चुका होता। यहाँ तो कोई काम ही नहीं। कई बार संतोष खदान पर ले भी गया तो इतनी धूल, इतना शोर कि दद्दा टिक ही नहीं पाये। जब तक भैंस थी कुछ मन लगा रहता था लेकिन अगल-बगल के घरों से गोबर की बदबू की शिक़ायत आई तो संतोष ने उसे भी बेच दिया। गोबर से बदबू! कैसे लोग हैं यहाँ के! पानीवाला दूध पी लेंगे लेकिन गोबर की बदबू नहीं बर्दाश्त कर सकते! इतने बड़े-बड़े घर लेकिन एक जानवर के

लिये जगह नहीं। पालेंगे भी तो कुत्ते! और वे भी कैसे-कैसे! कोई चोर डपट भी दे ज़ोर से तो मिमियाते हुए अन्दर चले जायें।

सात बरस हो गये थे गाँव छूटे पर अब तक शहरी नहीं हो पाये दद्दा। दद्दा यानी रामबरन सिंह गूजर। जिसके साठ बरस गुज़रे हों खेत, जंगल और जानवरों की ख़ुशबू के बीच उसे सात बरस का शहर कैसे भाये? कितना कहा संतोष से कि दस-बीस बीघा खेत छोड़ दे। वह यहाँ खदान सँभाले और मैं गाँव पर रहकर खेती सँभाल लूँगा। औरों ने भी तो यही किया। लेकिन एक नहीं सुनता संतोष। उसकी भी ग़लती कहाँ है। डरता है बेचारा? चारों तरफ़ जो नये-नये डकैत पैदा हो गये हैं किसी को भी पकड़ ले जाते हैं। अब कहाँ होती है पहले जैसी डकैती। अब तो नाम के डकैत हैं लेकिन काम है पकड़ का। किसी पैसेवाले के घर से एक आदमी को उठा लो और दस-बीस लाख वसूल लो। पहले होते थे। क्या मजाल कि किसी की जोरू को हाथ लगा ले या किसी की ज़मीन क़ब्ज़ा लें। देवी के भक्त। चौमासे में डेरा पड़ता था गाँव में। घर बाँट दिए जाते थे भोजन के लिए। सब गाँव-घर के नातेदार-रिश्तेदार होते थे। जुलुम के मारे बनते थे बाग़ी। अब के तो पुलिस-दरोगा वाले भी डकैतों से ख़तरनाक। पुलिस-थाना तो बस दलाली के काम आते हैं। सारे चोर, पटवारी से लेके कलैक्टर तक। लेकिन जंगलात का यह नया अफ़सर बिलकुल अलग है। पर संतोष को जाने क्यों फूटी आँख नहीं सुहाता। हमें तो बहुत भला लगता है। एक बार पूछने लगा हमसे हमारे गाँव का क़िस्सा तो हमने भी बताई—'वाको नाम रायपुर है साहब। तोमर ठाकुरन की बस्ती हती हियाँ। अस्सी-नब्बे घर-बाखर हते। एक बेर की बात कि बागी मानसिंह आए हते अपनी गैंग के संग। नीचे चम्बल में नहाय रहे थे और गैंग हियाँ टापरन में सुस्ताय रही थी। तबैं पुलिस आय मरी। गोरी बरसन लागी। दस सिपाहिन की लास बिछ गयी। गाँव वारे सगरे बीहड़न में दुबक गै। मानसिंह आए। उनने कही, अब पुलिस आवेगी, बहुत जुलम होगा...तुम सगरै गाँव छोर दो अबहीं। सगरो गाँव खाली हो गौ साहब। डुकरा-डूकरी तक ना बचे। सब फैल गए बीहड़न में, जे सगरे मजरे तासे ही बसे हैं। हियाँ बस दो परिवार लौटे तोमरन के और भूमियाँ महाराज को मंदिर...जेहि कहानी है हमरे गाँव की।' सुनकर खूब हँसा। बता रहा था पानसिंह तोमर पर कोई पिक्चर बनी है। वो भी डाकू था कोई! डाकू तो था पानसिंह गूजर। तीस बरस रहा बीहड़ में। कभी-कभी

लगता है पहले का ज़माना होता तो लाइसेंसी ले उतर जाते बीहड़ में ही... देखते-देखते सब बदल गया।

गोमती

ई भी कोई जिन्नगी है? रात-दिन बस पत्थर ही पत्थर...हवा में पत्थर... पानी में पत्थर...पसीने में पत्थर...और धीरे-धीरे सबके कलेजे में भी भरता जा रहा है पत्थर। इन्सान तो कोई लगता ही नहीं है यहाँ। सब जैसे भूत की तरह बिना पाँव के चलते-फिरते बिजूके लगते हैं। काम-काम-काम। सबेरे मुँह अँधेरे जो खटना शुरू होता है तो घण्टे-मिनट की कोई गिनती ही नहीं! शाम ढलते सब नशे में चूर। दिन भर काम का नशा तो रात भर शराब का। चीख़-चिल्लाहट-लड़ाई-रोना-धोना। ऐसा लगता है साक्षात् रौरव-नरक में रह रहे हैं तीन सौ पापियों और एक यमराज के साथ। यमदूत भी हैं आठ-दस। ज़रा-सी गड़बड़ हुई नहीं कि पैसा काट लेते हैं। छह महीने से दोनों जन खट रहे हैं। अभी तक एक हज़ार भी जोड़ नहीं पाये।

और लाज-लिहाज़, इन्सानियत की तो पूछो ही नहीं। एक बार नशा चढ़ा नहीं कि कौन किसका हाथ पकड़ ले, कौन किसकी साड़ी खींचने लगे। कुछ पता नहीं चलता। औरत-मरद सब नशे में धुत। करें भी तो क्या? न पीयें तो दिन भर की थकान मार डाले। कैसे टीसता है बत्ता-बत्ता देह का। कई बार तो सच में मन करता है कि कुल्हड़-दो कुल्हड़ ढरका लें। लेकिन औरत को शराब पीना अच्छा लगता है क्या? इनकी तरह थोड़े हैं हम? गाँव-जवार है, नाते-रिश्ते में पढ़े-लिखे लोग हैं। अरे वह तो वक़्त ख़राब चल रहा है वरना... लेकिन इसी में सड़ना नहीं है जिन्दगी भर। थोड़े पैसे और जुट जायें तो बाहर निकलें। शहर में कोई ढंग का काम करेंगे। बच्चों को पढ़ायेंगे-लिखायेंगे।

सबसे ज़्यादा चिंता बच्चों की ही होती है। दिन भर आवारों की तरह घूमते रहते हैं। यहाँ तो ज़रा-ज़रा से बच्चे बीड़ी पीते हैं। दिन भर यहाँ-वहाँ से ठूँठ इकट्ठा करके फूँकते रहते हैं। अब माँ-बाप को तो फ़ुर्सत है नहीं। पता नहीं कौन-कौन सी रहन सीख रहे हैं। न आस-पास कोई स्कूल, न कोई बड़ा-बूढ़ा। अपनी ज़िन्दगी तो हो ही गयी बर्बाद, पता नहीं इन बच्चों का क्या होगा! सीबू सही कहता है—''क्रेशर नहीं है यह नर्क की आग है। किसी

पिछले नहीं, इसी जन्म के पाप का फल है यह। एक ही पाप है सबका। ग़रीबी। किसी का खेत छिन गया। किसी की फ़ैक्ट्री बन्द हो गयी। कोई सूखे में फँस गया। कोई बाढ़ में। और यह नर्क सबको लील गया। और इस नर्क से बाहर निकलने का बस एक ही रास्ता है। मौत। टीबी से खाँसते-खाँसते एक दिन प्राण निकल जायेंगे और उसके बाद ऊपर का नर्क मिलेगा। क्योंकि वहाँ भी स्वर्ग तो रईसों के लिये रिज़र्व होगा न भाई।'' वैसे तो बोलता ही नहीं है सीबू...चुपचाप खटता रहता है। गाली, मज़ाक, हँसी किसी का कोई फ़र्क नहीं पड़ता उस पर। लेकिन एक बार पौवा अन्दर चला जाये तो फिर बोलता ही जाता है।

कितना मासूम-सा लगता है सीबू। लोग बताते हैं कि बस्तर से आया था। पढ़ा-लिखा भी था। लेकिन हालात कुछ ऐसे बने कि गाँव ही उजड़ गया। बाप और भाई को पुलिस ने नक्सली बता कर जेल में डाल दिया और यह अपनी पत्नी के साथ यहाँ भाग आया। दोनों मियाँ-बीवी जम के मेहनत करते थे और फिर चुपचाप झोपड़े में सो जाते थे। आदिवासी होने के बावजूद कभी दारू को हाथ तक नहीं लगाता था सीबू। कहता कि थोड़े पैसे इकट्ठा हो जायें तो बंबई चला जायेगा। कोई ढंग का काम करेगा। लेकिन...कहाँ निकल पाया इस नरक से। बताते हैं कि उसकी बीवी की तबियत ख़राब थी उस रात। शहर गया था दवा लाने। लौटा तो कहीं नहीं मिली। क्रेशर में नहीं। आस-पास नहीं। कहीं नहीं। पागलों की तरह खोजता रहा। पर नहीं मिली वह तो नहीं मिली। लोग बताते हैं कि सुपरवाइज़र की नज़र थी उस पर। वही उठा ले गया था उसे उस रात।

वैसे कोई बड़ी बात नहीं थी यह। साल में चार-पाँच ऐसी घटनायें हो ही जाती थीं। अभी पिछले महीने रामनिवास की जवान बेटी पूरे हफ़्ते के लिये गायब हो गयी थी। शुरू में दो-तीन दिन तो मियाँ-बीवी बहुत परेशान रहे। फिर चुप लगा गये। तक़दीरवाले थे कि एक हफ़्ते बाद लौट आई। सबको सब पता था लेकिन बोला कोई नहीं। सुन के आँखों में गाँव के पंडिज्जी का बुढ़वा पीपल घूम जाता। कहीं कोई मुक्ति नहीं है औरत जात की। कौन-सा प्रेत किस दिशा से निकल आयेगा कौन जाने। वहाँ तो बड़का बाऊजी आ गए थे, यहाँ कुछ हुआ तो कौन बचाएगा?

जंगल का अफ़सर आया था उस दिन। कैसा देवता जैसा लगता था।

सबसे पूछ रहा था। कितने गुस्से में था। कहता था कि यह सब बन्द कराएगा। इस नर्क से सबको मुक्ति दिलाएगा। लेकिन सीबू कह रहा था कि कोई कुछ नहीं कर पायेगा। या तो सेठ ख़रीद लेगा उसको या तो हटा देगा रास्ते से। इतने सारे राक्षसों के बीच में एक देवता क्या कर लेगा इस कलजुग में? लेकिन जायेंगे तो हम...हम सब...वचन दिए हैं ऊ देवता को..बस आज की रात बीत जाए...रक्षा करना हे डीह बाबा। हे काली माई। हे दुर्गा माई। हे...

संतोष

चौथा पैग हलक से नीचे उतर चुका था। रामदीन अभी तक लौटा नहीं था। संतोष ने गिलास मेज़ पर रखा और बाहर निकल आया। आसमान में न चाँद दिख रहा था, न तारे...दूर-दूर तक घुप अँधेरा। बाहर जलते बल्ब की रौशनी दो-चार क़दम चलकर भटक-सी गई लगती थी। उसी भटकी-सी रौशनी में पेड़ों की छाया पसरी पड़ी थी। बीच-बीच में कुछ जंगली आवाज़ें आकर ख़ामोशी और अँधेरे से चुहल करतीं। लेकिन जंगलों में रहते-रहते इन आवाज़ों की ऐसी आदत पड़ जाती है जैसे गर्मियों के दिनों में पंखे की आवाज़ की। संतोष ने उचटती हुई-सी एक निगाह इधर-उधर डाली और फिर कमरे में आकर बैठ गया।

ये रामदीन कहाँ मर गया साला। इसकी आदतें भी दिन-ब-दिन ख़राब होती जा रही हैं। कैसा सीधा-सादा-सा था गाँव में। भैंसों के साथ घूमने और पेट भर जीमने के अलावा कोई काम नहीं था इसे। जब से खदान पर लगाया है साले के पर निकलते जा रहे हैं। दिन भर मस्ती करता रहता है। लौंडियाबाज़ी की ऐसी आदत लगी है कि हरामी सबके कान काट रहा है। पहले डरता था थोड़ा, लेकिन अब तो पूरा खुर्राट हो गया है। सुपरवाइज़री सिर पर चढ़ गयी है। साले को सीधा करना होगा। लेकिन आदमी है काम का। अफ़सरों को पटाने में ऐसा माहिर कि पूछो मत। कितना भी टेढ़ा रेंजर हो। बस एक बार साले के हत्थे चढ़ जाये। शीशे में उतार के दम लेता है। बस इस बार नहीं चल पा रही है बिलकुल। ऐसा अफ़सर आया है कि किसी भी तरह वश में नहीं आता। न शराब की लत, न औरत की और न पैसे की भूख। बाबूजी कहते हैं अच्छा आदमी है। किस काम का ऐसा अच्छा आदमी? चारों तरफ़ से ज़ोर लगा के देख लिया। कोई असर नहीं। कहता है सारी अवैध खदानें बन्द

करा दूँगा। साला बाप का राज़ है क्या? ऊपर से नीचे तक सबको खिलाते हैं तब जाकर चलती है खदान। सात साल लग गये जमाते-जमाते और अब कहता है कि बन्द करा देंगे। बन्द की माँ की...मुँह में जैसे कुछ कड़वा-सा भर गया। भीतर गया और सीधे बोतल से ढेर सारी शराब भीतर उतार ली। फिर वहीं सोफ़े पर बैठ गया। सिगरेट निकाली और एक लम्बा कश गले से नीचे उतार कर ढेर सारा धुआँ एक साथ बाहर निकाला। धुएँ के साथ जैसे तमाम कड़वाहट भी पूरे कमरे में घुल गयी।

कैसे बीत गये सात साल। जब गाँव में था तो जैसे दुनिया बस उतनी ही थी। घर से खेत। बहुत हुआ तो कभी-कभी तहसील तक। वह भी बाबूजी ही सँभालते थे ज़्यादा। कहते गरम सुभाव से पटवारी-गिरदावरों से नहीं निपटा जाता। लट्ठ से लड़ना हो तो पचास से लड़ लो। कागज़ों की लड़ाई किसानों के बस की नहीं। लेकिन बाबूजी नहीं जानते थे कि वक़्त कैसे सिखा देता है सब। योजना आई गाँव में तो सब भड़भड़ा गये। ज़मीन जा रही है। सुनकर जैसे सबके प्राण निकलने लगे। लेकिन मैंने देखा कि कैसे यह योजना तक़दीर बदल सकती है। सरकार से लड़ना कोई बच्चों का खेल है क्या? पटवारी से लेकर तहसीलदार तक दौड़ लगाई। ऊसर ज़मीनों को रातोरात कागज़ में ऊपजाऊ बनवाया। पूरे अस्सी लाख वसूले। बाक़ी ज़मीनें बेच डालीं और आज देखो, शहर में आलीशान मकान, गाड़ियाँ। सजे-सँवरे बच्चे। और हर महीने दो-तीन लाख देने वाली खदान! बर्बाद होते हैं गरीब-गुर्बे और बेवकूफ़। जिसके पास दिमाग़ है वह रास्ता निकाल ही लेता है। वही चीज़ जो दुनिया के लिये तबाही है आपके लिये वरदान बन सकती है। बस दिमाग़ तेज़ करना पड़ता है और चमड़ी सख़्त! सिर्फ़ कभी-कभी बाबूजी को देखकर दुख होता है। आज तक गाँव से पीछा नहीं छुड़ा पाये। कितनी कोशिश की कि खदान पर आने-जाने लगें। बूढ़ा आदमी हो तो अफ़सर भी थोड़ा शर्म करते हैं। लेकिन यहाँ आये तो लगे सबसे हालचाल पूछने। कहते..."संतोष...ये सब भी हमारी तरह कहीं-न-कहीं से उजड़ के आये हैं।" हद है, ये साले मरभुक्खे अब "हमारी तरह" हो गये? उजड़ें साले भिखमंगे। हम काहे के उजड़ें? चार दिन भी कभी रह नहीं पाये यहाँ। अच्छा ही हुआ। रहते तो हर बात में अड़ँगा लगाते और उस रेंजर को कहानी सुनाते।

लेकिन ये रामदीन साला कहाँ मर गया। न जाने किस इंतज़ाम में लगा है? नहीं कर पाया इंतज़ाम तो...

रामदीन

अब इंतज़ाम तो मुझे ही करना पड़ेगा न इस अफ़सर का। भैया ने तो कह दिया कुछ भी करो ख़रीदो साले को। इतना आसान होता है क्या? साला कल का लौण्डा भले है पर है ईमान का काटा। हाथ नहीं रखने देता। इतने दिन से आजमा के देख लिया पर एक कमजोरी नहीं पकड़ आई। शादीशुदा होता तो साले के बच्चों की ही पकड़ करा देता। लेकिन यह ठहरा अकेला मुस्टण्डा। इंतजाम नहीं किया तो सारी खदानें बन्द करा देगा। विधायक जी से कहा कि ट्रांसफर करा दो तो साफ मुकर गये—'केंद्र सरकार का मुलाज़िम है। हमसे कुछ नहीं होगा।' और एम पी की गूजरों से पुरानी दुश्मनी। उसे तो मज़ा आ रहा है कि इसी बहाने एक साला निपटे।

लेकिन जब तक रामदीन है भैया को निपटाना किसी के बस की बात नहीं। और खाली नमक की बात थोड़े है। खदान बन्द हो गयी तो हमारा क्या होगा? खदान है तो हैं हम सुपरवाइज़र। खदान है तो है यह गाड़ी, पैसा, दारू और लौंडिया। खदान बन्द हुई तो सब बन्द। अब तो मजूरी भी नहीं होगी कि फिर से वही रामदीन किसान बन जायें! जिन हाथों को दारू और पैसे की चाव लग जाये उनसे फिर कुदाल और भैंस की रस्सी नहीं थामी जाती।

'निपटाना तो होगा साले को। आज ही..आज की ही रात!'

अफ़सर

कहाँ फँस गया। जब नौकरी मिली तो कितना कुछ सोचा था। आई.ए.एस. नहीं बन पाने की हताशा आई.एफ.एस. ने दूर कर दी थी। सोचा था कि इसी बहाने अपने देश का हर कोना देख पाऊँगा क़रीब से। जंगल। उनमें रहने वाले लोग। इस देश का असली चेहरा। ख़ुद से वादा किया था कि कभी बेईमानी नहीं करूँगा। लेकिन यहाँ! यहाँ बेईमानी कोई शब्द नहीं है, बल्कि रोज़-ब-रोज़ की ज़िन्दगी का हिस्सा है। जो बेईमान है वही सामान्य है और हम जैसे लोग बस एक अपवाद हैं जिन्हें हर कोई जल्दी-से-जल्दी निपटा देना चाहता

है। सब लिप्त हैं इस खेल में। ऊपर से नीचे तक सब। जंगल काट-काट के धरती को वीरान बनाते जा रहे हैं। अवैध खदानों ने सारे पर्यावरण को नष्ट कर दिया है। कहाँ-कहाँ से मज़दूरों को लाकर उनसे अमानवीय तरीके से मज़दूरी कराई जा रही है। अम्पटन सिंक्लेयर का *जंगल* याद आता है इन्हें देखकर। क्या कर रहे हैं यहाँ हम जैसे सरकारी अधिकारी? धरती को नष्ट कर अपना घर भर रहे हैं बस। कोई नहीं सोचता कि जब धरती ही नहीं रहेगी तो कहाँ रहेंगे ये घर? कहने को सब हैं, पूरी व्यवस्था है—पुलिस-जंगलात महकमा-पर्यावरण-राजनैतिक दल-एन.जी.ओ.। सब तो हैं, लेकिन सब एक जैसे! सबका एक ही उद्देश्य कि कितना दोहन किया जा सकता है इन जंगलों का। सुनता हूँ कभी इतने पेड़ थे कि दिन में भी सूरज की रौशनी ज़मीन तक नहीं पहुँचती थी। आज सिर्फ़ नाम है जंगल का। जंगल जैसे पत्थर का जंगल है। जंगल जैसे अन्याय का जंगल है। जैसे ज़िन्दा लाशों का जंगल है। मुझे लगता है जैसे हम सब 'काफ़्का ऑन द शोर' के उन सैकड़ों बरस के सैनिकों की तरह हैं जो जंगल और शहर के बीच न जाने किसकी रखवाली कर रहे हैं। लेकिन वे तो युद्ध की विभीषिका से भाग कर रुक गए थे उन जंगलों में और हम? एक पूरा का पूरा देश पलायित हो गया है अपने ही उद्देश्यों से। एक पूरी की पूरी व्यवस्था बिच्छी के बच्चों की तरह लगी है अपनी ही जड़ों को कुतरने में। एक बफ़र ज़ोन हैं हम। अन्दर की बात अन्दर रहे और उस पर *वैधानिकता* की मुहर लगती रहे, इसके लिए ही मिलती हैं हमें इतनी सुविधाएँ। जहाँ किसी सच को बाहर लाने की कोशिश करो, सब नाराज़। उन ग़रीबों के चेहरे देखता हूँ तो जैसे अन्दर से कुछ टूट-सा जाता है। कौन-सी आज़ादी है इनके हिस्से? कौन-सा लोकतंत्र? न जाने कहाँ-कहाँ से लाकर डाल दिए गए हैं इस धमनभट्टी में, जहाँ से कोई ज़िन्दा नहीं निकल सकता। यहाँ कोई नहीं है इनकी बात करने वाला। सबकी शिक्षा की बात करने वाली सरकारें यहाँ एक स्कूल भी नहीं खोल सकतीं! लेकिन स्कूल खोलना तो इस बात की गवाही हो जायेगी कि यहाँ इन्सान रहते हैं, जबकि सरकारी कागज़ में तो यहाँ न कोई खदान है न कोई इन्सान। बस जंगल है, जिसमें पेड़ हैं। पेड़ के कटने पर तो फिर भी सज़ा है लेकिन इन बेदख़ल दोपायों के कटने पर तो कोई सज़ा भी नहीं। ठेकेदार

और उसके कारिंदे इस जंगल के शेर हैं। शेर नहीं भेड़िये। जब जिसे चाहें दबोच लेते हैं। सरकारी अधिकारी उनके ज़रख़रीद ग़ुलाम। अब ऐसे हालात में अगर वह सीबू कहता है कि साहब भैया और बाबूजी को तो पुलिस ने झूठ में नक्सल बताकर पकड़ लिया था लेकिन मेरा मन करता है कि सच में बंदूक मिल जाए कहीं से तो सालों को भून डालूँ तो क्या कहूँ मैं? क्या समझाऊँ? अब तो सचमुच लगने लगा है कि व्यवस्था के भीतर से कोई बड़ा बदलाव कर पाना संभव नहीं।

वह दो टके का सुपरवाइज़र रामदीन जब मुझे धमका के चला जाता है तो इन बेचारों की क्या मज़ाल? दरोगा से लेकर एस.पी. तक सब कहते हैं कि इन लोगों से पंगा मत लो। क्या करूँ फिर? अपने अफ़सरों से कहा तो वे भी बस कागज़ी खानापूरी से आगे नहीं जाते। कभी-कभी सच में डर लगता है। हर किसी पर संदेह होता है। लेकिन क्या किया जा सकता है? रोकना तो होगा ही यह सब, हर हाल में। कल की सुबह बहुत महत्त्वपूर्ण है। क़त्ल की रात है यह। इन्साफ़ की रात। क़यामत की रात। अल्लसुबह शहर से पूरी टीम आ जायेगी। फिर रेड करेंगे। सीबू, रामेसर, गोमती। ये सब सरकारी गवाह बनेंगे। सारे बंधुआ मज़दूरों को छुड़ा लिया जाएगा। कल सुबह...सारी अवैध खदानें बन्द होंगी। कल सुबह। कल ही...

कानून

थाने में बड़ी उथल-पुथल थी उस दिन। जिस रेंजर डी.के. यादव की ईमानदारी के क़िस्से दुनिया भर में मशहूर थे वह आज बलात्कार और हत्या के जुर्म में अन्दर था। कितने पत्रकार...कितने सारे फ़ोटोग्राफ़र...कैसे-कैसे लोग। मजमा लगा था। पुलिस के बड़े-बड़े अफ़सर आये थे। बदहवास रामस्वरूप एक कोने में बैठा था। बड़े साहब बता रहे थे—'कल देर रात किसी का फ़ोन आया था कि रेस्ट हाउस में कुछ गड़बड़ है। हम लोग सूचना मिलते ही पहुँचे तो देखा कि रेस्ट हाउस का दरवाज़ा खुला पड़ा है। अन्दर बिस्तर पर रेंजर साहब बेहोश पड़े हैं और एक औरत बिलकुल नंगी पड़ी है। नब्ज़ देखी तो मर चुकी थी। पूरी देह पर खरोंच के निशान थे और साफ़ लग रहा था कि बलात्कार के बाद गला घोंट कर मारा गया है। कमरे में नशे की दवाइयाँ मिली

हैं। पता लगा है कि रेंजर नशीली दवाइयों का आदी था। इंजेक्शन भी मिले हैं। साफ़ है कि नशे की हालत में इसने उस औरत के साथ बलात्कार किया और फिर उसका गला दबा के मार डाला। औरत की पहचान गोमती पत्नी रामस्वरूप के रूप में हुई है। लोगों का कहना है कि वह बिहार से यहाँ अपने पति के साथ काम करने आई थी और खेतों में मज़दूरी करती थी। मुख्यमंत्री जी ने उस औरत के पति को बीस हज़ार और समाजसेवी संतोष गूजर जी ने दस हज़ार रुपये मुआवज़ा देने की घोषणा की है।

अगले दिन हर अख़बार में ठीक यही ख़बर थी।

कोई सौदा कोई जुनूँ भी नहीं*

कूलर में पानी ख़त्म हो गया था। गर्म हवा के साथ एक गुम्साइन सी गंध कमरे में भरती जा रही थी। मिताक्षरा ने करवट बदली और उठकर बालकनी तक जाने को हुई कि अचानक कूलर बन्द कर दिया और बिस्तर पर पड़ गयी। पूरा बिस्तर जैसे पसीने से भीगा था। हर तरफ़ एक चिपचिप और वही गुम्साइन गंध। मन-ही-मन उसने सोचा कल रूम फ्रेशनर ले आऊँगी। फिर मोबाइल टटोला तो जैसे अपने आप ही से बोली, 'अभी तो पाँच ही बजे हैं।' और आँखें मींचकर सिर तकिये में घुसा दिया। थोड़ी देर तक यों ही पड़े रहने पर भी जब नींद की कोई आहट सुनाई नहीं दी तो वह सपने देखने की कोशिश करने लगी। यह बहुत पुराना नुस्खा था उसका। बचपन का। समय बीता, शहर बदले, सपने भी बदल गए लेकिन यह नुस्खा नहीं बदला। कमरे को बिलकुल अँधेरा कर वह आँखें बन्द कर लेती और सपने देखने लगती। सपने जो उसके सबसे करीब थे। वह उन सपनों में खो जाती। फिर वे धीमे-धीमे धुँधले पड़ने लगते और वह नींद में डूब जाती। ये सपने नींद में कभी नहीं आते। नींद के सपनों से उसे डर लगता था। थोड़ी देर सोचती रही। फिर आँखों में एक तस्वीर बनने लगी। मोबाइल बजा—*आप लन्दन से निकलने वाली हिन्दी पत्रिका का संपादन करना चाहेंगी? लेडीज़ नहीं, जनरल मैगजीन है। मेनस्ट्रीम सोशियो-पोलिटिकल। सेलरी पच्चीस हज़ार पाउंड। टू बी एच के फुली फ़र्निश्ड फ़्लैट। शोफ़र ड्रिवेन सेडान कार। आप चाहें तो अगले हफ़्ते ही ज्वाइन कर सकती हैं। अभी हम डमी प्लान कर रहे हैं। टिकट हम अरेंज करेंगे।'*

'लेकिन मेरे पास तो पासपोर्ट भी नहीं है।'

---

*फ़राज़ अब कोई सौदा कोई जुनूँ भी नहीं। मगर क़रार से दिन कट रहे हों यूँ भी नहीं—अहमद फ़राज़

'नॉट एन इश्यू मैम। कल हमारा आदमी आपसे डाक्यूमेंट्स ले लेगा और तीन दिन में सारे कागज़ात तैयार हो जाएँगे।' अगले दृश्य में वह लन्दन के अपने ऑफ़िस में थी। रंजन सर के ऑफ़िस से भी बड़ा। सेंट्रली एयरकंडीशंड। 56 इंच की एल ई डी, बड़ी-सी काँच की टेबल। बाएँ कोने में सोफ़ा सेट और काउच। दाहिनी तरफ़ बड़ा सा फ्रिज। टेबल के ठीक सामने एवा गोंजाल्वेस की पेंटिंग। टेबल के उस ओर सारा स्टाफ़ बैठा है। वह चुपचाप सबको सुन रही है। बीच-बीच में कुछ बोलती है। सामने टीवी पर उसका इंटरव्यू चल रहा है। फिर दृश्य बदलता है। गाड़ी एक अपार्टमेन्ट के सामने रुकी है। वह अपने घर का दरवाज़ा खोलती है। एकदम शुभांगी दीदी के घर जैसा। बड़ा-सा ड्राइंग रूम जिसकी दीवारों पर हुसैन की पेंटिंग्स हैं। वह सोफ़े पर बैठ गयी। ...तभी...तभी एक दरवाज़ा खुला और तौलिया लपेटे एक मर्द आकर उसके ठीक बगल में बैठ गया...फिर दो बच्चे...पाँच-सात साल के...दोनों चीख़ रहे हैं, और फिर अचानक उसे माँ-माँ कहते उसके ऊपर लद गए हैं।

उसने एकदम से आँखें खोल दीं और बैठ गयी...बेड स्विच जलाया तो एक मद्धिम दूधिया रौशनी खिड़की से आ रही पहली किरणों से लिपट कर खो गई। सिरहाने दराज़ में देखा तो डिब्बी में बस दो सिगरेट बची थीं। यानी पिछले बीसेक घंटों में अट्ठारह सिगरेट फूँक गयी थी! अचानक याद आई, कैसे हिसाब लगाती थी कि विजय ने कितनी सिगरेटें शेयर कीं। याद आई तो एक फीकी-सी मुस्कान होंठों की दहलीज़ तक आई। वह अक्सर उसके हिस्से की बढ़ा देती और बोलती, 'देखो मैंने तो कित्ती कम कर दी है,' वह मुस्कुराता और डिब्बी में से एक और निकाल लेता...सच में दस तक तो आ ही गई थी तब...फिर...उसने सिगरेट सुलगा ली और मोबाइल पर फ़ेसबुक खोल लिया। लिखा, 'जब सपनों पर इस क़दर नियंत्रण ख़त्म होने लगे तो डर लगता है। एक धुँधली सुबह आपकी नींद उचट जाती है और पता चलता है कि वह धुंध आपके सपनों तक में चली आई है। एक अनजाने रास्ते पर चलते हुए उस जानी-पहचानी जगह पहुँच जाते हैं जिससे भागने के लिए सारा सफ़र शुरू हुआ था और वह जगह कुटिल मुस्कान के साथ बाँहें फैला देती है। और सबसे भयावह होती है अपने ही भीतर अँखुआती उन बाँहों में सिमट जाने की आकांक्षा।' थोड़ी देर तक स्क्रीन को यों ही निहारने के बाद मोबाइल

का फ़्लैप बन्द कर दिया और तकिये के सहारे तिरछी हो गयी। सिगरेट ख़त्म करके फिर से मोबाइल खोला। आठ लाइक्स थीं। तीन कमेन्ट। वही 'सुन्दर', 'आह'...मैसेज बाक्स में एक नया मैसेज आया था। निहाल था—'क्या हुआ मिताक्षरा, परेशान हो?'

सब बदल गए, निहाल नहीं बदला। चालीस की उम्र हो गयी। आधे बाल पक गए। इतना नाम, प्रतिष्ठा, परिवार...पर अब भी वही का वही। वैसे ही बगल में किताबें दबाए दुबला-पतला-सा वह पापा का बच्चा कॉमरेड। तब वह आठवीं-नौवीं में पढ़ती थी। कोई ज़िद पूरी न होने पर उदास होती तो वह सामने पड़ते ही पूछ लेता। सारे शहर के लिए मीतू थी लेकिन उसने हमेशा मिताक्षरा ही कहा। तब निहाल कॉलेज में था और वह स्कूल में, पर रिश्ता तुम का ही बना। फिर वह शहर छूटा और सब बदलता गया। कितना कुछ पीछे छूट गया। कितने दोस्तों का अब चेहरा भी याद नहीं आता, लेकिन निहाल ने संपर्क कभी नहीं टूटने दिया। यों ही कभी उसका फ़ोन आ जाता। कभी जी-चैट पर आकर हाल पूछ जाता। कभी फ़ेसबुक पर। आमतौर पर सार्वजनिक कमेंट्स नहीं करता। पर कहीं कोई परेशान करने लगे तो तुरंत हस्तक्षेप करता है।

'नहीं, ऐसा कुछ नहीं', उसने लिखा।

'कुछ तो है'...एक स्माइली के साथ जवाब आया, 'नहीं बताना चाहतीं तो कोई बात नहीं, पर जानती हो निज मन की व्यथा...इस पर कोई ढंग का कमेन्ट भी नहीं आयेगा। यहाँ सब तुम्हारे रेडिकल फ़ेमिनिस्ट रूप को देखना चाहते हैं। तो यह पोस्ट सुपरहिट नहीं होने वाली। मस्त रहो। हैव अ नाइस डे (रात गुड होती तो इत्ती सुबह एफ़.बी. पर दिखाई नहीं देतीं) शायद अगले हफ़्ते आना हो तो मिलूँगा' दो स्माइलीज़ के साथ उसने बात ख़त्म की।

दो स्माइलीज़ बना के उसने मोबाइल बन्द कर दिया और आख़िरी बची सिगरेट लेकर बाथरूम में घुस गयी।

~

रंजन सर सुबह से तनाव में थे। उस तनाव की छाया पूरे दफ़्तर में पसर गई थी। नीरज ले आउट फ़ाइनल करके बैठा था पर अन्दर ले जाने की हिम्मत नहीं कर पा रहा था। अमन कोई ब्रेकिंग न्यूज़ लेकर आया था ने लेकिन अभी

लैपटॉप बन्द कर इयरफ़ोन कान में लगाए गाने सुन रहा था और मिताक्षरा अपने केबिन में कम्प्यूटर स्क्रीन में आँखें धँसाये बीच-बीच में इधर-उधर देख लेती थी। स्टेटस पर बीसेक लाइक्स और आई थीं। मल्लिका ने पूछा था, 'कोई कहानी लिख रही हैं मैम?' और श्रद्धा ने 'शादी कर लो' के बाद एक शैतानी भरी स्माइली लगाई थी। ये लड़कियाँ जिनसे कभी मुलाक़ात तक न हुई थी, सखियाँ बन गयी थीं। वह कुछ लिखने ही जा रही थी कि नीरज केबिन की तरफ़ आता दिखा। उसने फ़ेसबुक लॉग-आउट कर दिया और पिछले अंक की फ़ाइल खोल ली। नीरज ऑफ़िस में सबसे कम उम्र का था। कॉलेज से निकलकर सीधे यहाँ आ गया, लेकिन अभी कॉलेज वाले मैनर्स छोड़ नहीं पाया था। उसे देख के मिताक्षरा को ऋषभ की याद आती। कॉलेज का जूनियर। सीधा-सादा-पढ़ाकू ऋषभ। एम.ए. फ़ाइनल में थी वह जब उसने एक दिन अचानक से प्रपोज़ किया था। उस वक़्त जो मानसिक हालत थी उसकी एक बार तो लगा कि हाँ ही कर दे। पर न कर दिया...ऋषभ ने अब तक शादी नहीं की और उसकी ज़िन्दगी कहाँ-कहाँ से होके गुज़र गयी थी। नीरज सबको भैया-दीदी कहता। रंजन सर पहले ही दिन नाराज़ हो गए थे। उन्हें यह सब सामंती रवैया लगता था। फिर भी मीटिंग में उसके मुँह से निकल ही जाता था। गोरखपुर का था तो मिताक्षरा तो मीतू दीदी बन ही गयी थी। किसी से रिश्ते न बनाने की कसम खा चुकी मिताक्षरा जाने क्यों नीरज को कभी टोक नहीं पाई। बस हमेशा की तरह सीधे दरवाज़ा खोल के सामने की कुर्सी पर जम गया और शुरू हो गया, 'यार दीदी, ये सर को क्या हो गया। सारी रात मेहनत करके नया ले-आउट बनाया। एक बार देख लेते तो फ़ाइनल कर देता। फिर लास्ट टाइम में चेंज करने को बोलेंगे। उधर ये लोग जान खायेंगे कि मैगज़ीन लेट हो रही है...आप बात करो न एक बार। या आप ही देख के बता दो कोई चेंजेज़ हों तो।'

'देख नीरज, सर अभी बहुत परेशान हैं। एक तो अभी वो देखेंगे नहीं, और देख भी लिया तो भी इस मूड में उनको अच्छा भी ख़राब ही लगेगा। तो तू आराम से बैठ के चिल मार। वो बुलाएँगे तब जाना।' मिताक्षरा ने स्क्रीन पर आँखें गड़ाए-गड़ाए कहा।

'आप जानते हो न, मेरे से बैठा नहीं जाता। कोई काम न हो तो घबराहट होने लगती है,' झुंझला रहा था वह। इस बचपने पर वह मुस्कुरा पड़ी, 'तो

एक काम कर, सागरिका को कॉल कर ले। लंच हो जाएगा और तेरी घबराहट लौट के नहीं आएगी।'

अभी नीरज की मुस्कुराहट ने आकार लिया भी नहीं था कि अचानक रंजन सर के केबिन का दरवाज़ा खुला और देखते-ही-देखते बौखलाये रंजन सर तेज़ी से बाहर निकल गए।

न दुआ, न सलाम, न कुछ कहा, न सुना बस एकदम बाहर। ऐसा तो कभी नहीं हुआ था। कुछ नहीं तो जाते-जाते एक मिनट रुक कर इतना तो कह ही जाते थे कि फलाँ काम से निकल रहा हूँ, कोई फ़ोन वगैरह आये तो देख लेना। आखिर ऐसा क्या हो गया अचानक? आशंकाएँ रह-रह कर उभरने लगीं। जाते हुए रंजन सर से हटी तो सारी निगाहें मिताक्षरा की ओर टिक गयीं। सबको लगता था उसे ज़रूर पता होगा...पर आज तो उसे भी कुछ नहीं पता था।

~

तीन साल हो गए थे इस मैगज़ीन में। आई तो सांस्कृतिक संवाददाता के रूप में थी, लेकिन रंजन सर के साथ ऐसी टीम बनी कि साल भर के भीतर ही असिस्टेंट एडिटर बना दी गयी। तनख़्वाह ही दुगुनी नहीं हुई बल्कि शहर में एक धाक भी बन गयी। बहुत से लोग जो पहले देख के भी कट जाया करते थे, अब मिलने के बहाने ढूँढ़ते। गोरखपुर जाना होता तो घर पर ताँता लगा रहता युवा पत्रकारों का। कोई अंकल बेटे की नौकरी की सिफ़ारिश के लिए आते तो कोई दूर फँसे बेटे के ट्रांसफ़र के लिए। पापा मुस्कुराते, 'आदत मत डालना इसकी मिताक्षरा। यह पॉवर, यह पहुँच शराब से भी गहरा नशा है। शराब न होने पर तड़पते देखा है न लोगों को?' ठीक उसी समय उसका गला सूखने लगता। ठीक उसी समय अँगुलियाँ मचलने लगतीं। वह पापा की ओर फीकी मुस्कुराहट से देखती और उसे रंजन सर याद आते, 'देखो मिताक्षरा... पहुँच पुरानी शराब की तरह होती है। बस तब तक है इसकी क़ीमत जब तक इस्तेमाल नहीं की गयी। हम पत्रकार हैं, व्यवस्था से हमारी लड़ाई साँप और नेवले की है। कोई किसी को मारता नहीं। पर जिस दिन दोस्त दिखने लगे कोई भरोसा नहीं करेगा। अपनी ठसक बना के रखो। लाख ज़रूरत हो चेहरे पर सिर्फ़ आत्मविश्वास दिखना चाहिए।'

उफ़ ये शराब!

अजामिल! अजीब-सा नाम था उसका। बस अजामिल। न आगे कुछ, न पीछे। कोई कहता मुसलमान है तो कोई कहता दलित है...जात छुपाता है। तब वह रिसर्च कर रहा था 'रोल ऑफ़ ट्राइबल कम्युनिटीज़ इन एंटी इम्पीरियलिस्ट मूवमेंट्स इन एशिया' और मिताक्षरा बी.ए.थर्ड ईयर में थी। अब तक दूर से ही देखा था उसे। लम्बे बिखरे बाल, आँखों पर मोटा चश्मा, उधड़ी-सी जींस और अजीब-अजीब कोटेशन वाली टी-शर्ट्स में कभी कॉलेज गेट के बाहर सिगरेट फूँकता नज़र आता तो कभी लायब्रेरी में किताबों में डूबा हुआ। अक्सर अकेला रहता और हाथ में मोटी-मोटी किताबें लिए अपने में ही खोया रहता। कॉलेज में तमाम क़िस्से थे उसके। कोई कहता कि किसी बहुत अमीर घर का लड़का है, नक्सलाइट मूवमेंट में चला गया था सब छोड़-छाड़ के, तो एक दूसरे क़िस्से के अनुसार पहले बहुत स्मार्ट था लेकिन एक अफ़ेयर टूट जाने के बाद ऐसा हो गया। उस दिन बैनर्जी सर ने अचानक उसे अपने प्रोजेक्ट के लिए अजामिल से मिलने के लिए कहा तो वह एकदम चौंक गयी। अभी किसी तरह इसे टालने के लिए कोई बहाना ढूँढ़ ही रही थी कि अजामिल सर के केबिन में आ पहुँचा और इस तरह पहला शब्द बोला गया उन दोनों के बीच...'ओके।'

वह कोई और अजामिल था...अपने कमरे के फ़र्श पर दीवार के सहारे टिका धाराप्रवाह बोलता। बीच-बीच में सिगरेट के कश लगाने के लिए रुकता। आदिवासी इलाक़ों के संघर्ष के क़िस्से सुनाता ऐसा लगता था कि वह साक्षी रहा हो उन ख़ून और पसीने में डूबे संघर्षों का। आँखें जैसे किसी असमय बड़े हो गए बच्चे-सी गम्भीर, पतली-पतली लम्बी अँगुलियाँ क़िस्सों के साथ ही गतिमान। सितम्बर का महीना था वह। खिड़की के उस पार रिमझिम बरसते बादल और जुबली हॉल की तीसरी मंज़िल पर खिड़की के इस पार सिर झुकाए नोट्स लेती मिताक्षरा। वह अचानक रुका, 'तुम्हारा नाम बहुत अच्छा है, मिताक्षरा। जानती हो आदिवासी समाजों के पास भी सीमित भाषा होती है। उतनी, जितने की ज़रूरत है। असल में भाषा ही नहीं सब कुछ बहुत कम। घर में अनाज हो जब तक वे मज़दूरी करने नहीं जाते। मज़दूरी तो वे करते ही नहीं थे। जंगल, पहाड़, ज़मीन, नदियाँ सब तो उन्हीं की हैं। फिर क्यों करें वे मज़दूरी? जंगल लकड़ी देता है, फल देता है, नदियाँ जल देती हैं, मछली देती हैं, ज़मीन चावल देती है, महुआ और ताड़ी शराब देते हैं, तेंदू बीड़ी देता है,

पत्थर आग देता है। फिर क्यों करे कोई किसी की ग़ुलामी? जब अंग्रेज़ रेल की पटरियाँ बिछा रहे थे तो उन्होंने आदिवासियों से मज़दूरी करने को कहा। उन्होंने मना कर दिया। बहुत कोशिश की अंग्रेज़ों ने। पर जब वे नहीं माने तो एक चाल चली। उन्हें दोस्त बना लिया। शराब पीना सिखा दिया और फाँस कर उनसे मज़दूरी करवाई। शराबी नहीं थे आदिवासी। उन्हें बनाया गया। इस सभ्यता ने उन्हें असभ्य बनाया। अच्छा सोचो, क्या इम्पीरियलिज़्म से संघर्ष का अर्थ केवल तीर-धनुष या बन्दूक वाला संघर्ष है? ना। इम्पीरियलिज़्म दुनिया को ग़ुलाम बनाता है अपनी आदतों से। सभ्य बनने की दौड़ में हम उसकी संस्कृति अपनाते जाते हैं, उसके बाज़ार के ग्राहक बन जाते हैं और इस तरह उनकी चाल में फँसकर उसके ग़ुलाम बन जाते हैं। वह साँस की तरह शामिल हो जाता है जीवन में। तो एक प्रतिरोध उसकी संस्कृति को अपनाने से इनकार कर देना भी तो है? आदिवासियों ने यही किया। उन्होंने सभ्यता के नए मानक ठुकरा दिए। हम उन्हें अपने जैसा बनाकर सभ्य बनाना चाहते हैं।'

'लेकिन विकास? क्या यह एक और ज़ुल्म नहीं है उनके ऊपर कि जब ज्ञान-विज्ञान और तकनीक के विकास ने हमारी ज़िन्दगियों को इतना आसान बनाया है तो हम उन्हें जंगलों और पहाड़ों पर सुविधाहीन जीवन जीने के लिए छोड़ दें? क्या इस पर उनका कोई हक़ नहीं? क्या आप उन्हें एक ज़िन्दा म्यूज़ियम की तरह नहीं ट्रीट कर रहे?'...उस सम्मोहन को तोड़ते हुए सवाल किया मिताक्षरा ने तो वह जैसे झुंझला गया।

'जानती हो जब अमेरिकी कहते हैं कि अरब देश बुर्के और परदे की ग़ुलामी कर रहे हैं तो अरब कहते हैं कि अमेरिकी मैकडोनाल्ड और लिवाइस की ग़ुलामी कर रहे हैं। यह तो देखने का नज़रिया है बस। आख़िर विकास है क्या? यह इस पर निर्भर करता है कि तुम कहाँ खड़ी हो। ऐसा क्यों हो कि सबका नज़रिया वही हो जो हम पश्चिमपरस्त शहरियों का है...'

उसकी बातें कभी ख़त्म ही नहीं होती थीं। प्रोजेक्ट ख़त्म हुआ और उसके साथ एक अजीब-सा रिश्ता शुरू हो गया। कभी उसके हॉस्टल के कमरे में, कभी कैंटीन में, कभी यों ही सड़कों पर मीलों पैदल चलते हुए...बातें, जो ख़त्म नहीं होती थीं। असहमतियाँ, जो दूर नहीं करती थीं। किताबों की एक नई दुनिया खोल दी थी उसने। किताबें पापा के पास भी बहुत थीं। लाल जिल्दों वाली किताबें। रादुगा और पी.पी.एच. की किताबें। लेकिन यह दुनिया

अलग थी। दुनिया भर का साहित्य, नोम चॉम्सकी, न्युंगी वा थ्युंगी, हाब्सबाम, पर्यावरण, अर्थशास्त्र, इतिहास...वह डूबती गयी इस दुनिया में और इस दुनिया के उस अजीब से रहवासियों में भी। उसकी सिगरेट का धुआँ अब चुभता नहीं था। उसके अजीब से कपड़े अब अजीब नहीं लगते थे। दिन बरसाती नदी की तरह बहे जा रहे थे। थर्ड ईयर में रिकॉर्ड नम्बर आये मिताक्षरा के। सब इतना अच्छा कि अब होश और बेहोशी के सपनों में कोई फ़र्क ही नहीं रह गया था। उस दिन बैनर्जी सर ने बुलाया तो भी उसने सोचा कि हमें हमेशा की तरह कोई किताब सजेस्ट करने या कुछ बताने के लिए बुलाया होगा। लेकिन वह बहुत परेशान थे। साल भर से अजामिल ने रिसर्च वर्क छोड़ रखा था। उसकी स्कॉलरशिप जारी रखने के लिए सर को सर्टिफ़िकेट बनाना था। क्या बताती मिताक्षरा। वह तो जैसे उसके जादू में खोई थी। बोली, 'वह कर देंगे सर। इतनी तो मेहनत करते हैं फ़ील्ड में। लिखने की फ़ुर्सत न मिली होगी।' बैनर्जी सर ने कुर्सी पर बैठे-बैठे पहलू बदला। उनकी आँखें जैसे किसी पीड़ा से भरी हुई थीं। जब वे सीधी मिताक्षरा की आँखों से टकराईं तो वह सिहर गयी। सर ने दराज़ से एक काग़ज़ निकाला और बिना कुछ कहे उसकी ओर बढ़ा दिया। हॉस्टल के वार्डन का पत्र था। अजामिल की शराबख़ोरी से परेशान होकर उसके अगल-बगल के तमाम लड़कों ने शिक़ायत की थी। अचानक बैनर्जी सर ने पूछा, 'कितना जानती हो तुम अजामिल को?' उसके मुँह से बेसाख़्ता निकला, 'बहुत।'

'आर यू इन अ रिलेशन विद हिम?'

'यस सर।'

वह उनके कमरे से निकल आई थी। अजामिल को हॉस्टल से निकाल दिया गया था। उसने भी हॉस्टल छोड़ दिया। अजामिल की स्कॉलरशिप बन्द हो गयी थी। उसने ट्यूशन बढ़ा दिए। अजामिल कभी-कभी अनुवाद कर लेता। वे एक कमरे में रहने लगे थे। मुखर्जी नगर का वन रूम सेट। वहीं मिलने आया था एक दिन निहाल। दिल्ली किसी कॉन्फ्रेंस में आया तो उसके हॉस्टल चला गया था। वहाँ से ख़बर मिली तो यहाँ चला आया। अजामिल घर पर नहीं था और वह शाम के खाने के लिए मटर छील रही थी। कोई सवाल नहीं पूछा निहाल ने। समोसे ले आया था और चाय ख़ुद बनाई। देर तक बैठा रहा।

...घर परिवार की बातें, पढ़ाई-लिखाई की बातें। फिर अचानक पूछा, 'आगे क्या सोचा है?' वह हड़बड़ा गयी। आगे कहाँ सोचा था उसने कुछ। वह तो अजामिल को सोचना था! जाते-जाते दरवाज़े पर रुका था निहाल, 'मिताक्षरा, जीवन बहुत लम्बा है। तुमने एक निर्णय लिया है और मैं उसका सम्मान करता हूँ। पर कभी कोई ज़रूरत पड़े तो बस एक कॉल कर देना।' जाने कितने दिनों बाद दरवाज़ा बन्द करके रोई थी वह इस क़दर। आवाज़ें घोंटते हुए रोना। छोटे चाचा के अचानक एक्सीडेंट में गुज़र जाने के बाद ऐसे ही रोती थीं चाची। निःशब्द। उस रात अजामिल लौटा ही नहीं।

फिर अक्सर ऐसा होने लगा था। वह रात-रात भर बाहर रहता। कई बार अचानक दिल्ली से बाहर चला जाता और फिर हफ़्ते-हफ़्ते भर बाद लौटता। परीक्षाएँ सिर पर थीं और वह चाह कर भी एकाग्र नहीं हो पा रही थी। अजामिल से बात करना चाहती थी पर वह अपने आप में ही खोया था। किताबें नाराज़ पड़ोसी हो गयी थीं। पढ़ने की कोशिश करती तो आँखों में पानी भर आता। अपने ही बनाये नोट्स समझ में नहीं आते थे। बहुत दिनों बाद उसने आधी नींद में एक सपना देखा—*रिज़ल्ट आया है। एम.ए. फ़ाइनल का। उसने पूरी यूनिवर्सिटी में टॉप किया है। सारे लोग उसे बधाई दे रहे हैं। बैनर्जी सर ने कमरे में बुलाकर देर तक बातें की हैं। कोई ला के उसे अख़बार दे गया है। फ़ोटो छपी है उसकी। वह अख़बार पढ़ने की कोशिश करती है लेकिन सारे अक्षर गोल-गोल घूम रहे हैं। फिर अपनी फ़ोटो देखना चाहती है लेकिन उसके चेहरे पर इतने सारे धब्बे कहाँ से आ गए? वह छूकर देखने की कोशिश करती है। फिर धब्बे हटाने की कोशिश। ये तो चिकनाई का धब्बा है। मसालेदार मूँगफलियों के तेल और मसाले का धब्बा उसके गालों पर। नाक पर छलकी हुई शराब का धब्बा। गर्दन पर शायद सोडे का दाग है। और आँखों पर जैसे उसने सिगरेट मसल दी है। दो गोल-गोल छेद।*

तीन दिन बाद लौटा था अजामिल। वह उसे अपने सपने के बारे में बताना चाहती थी। पर नहीं बताया।

बस पास हो गयी थी वह। बैनर्जी सर मिले थे निकलते हुए। नमस्कार किया तो बस इतना ही बोले, 'कंसन्ट्रेट करो पढ़ाई पर मिताक्षरा। वी एक्स्पेक्ट मोर फ्रॉम

यू। अभी एक साल है कवर करने के लिए।' वह कट के रह गयी थी। भाग के घर आई तो अजामिल सामान पैक कर रहा था। पहली बार पूछा उसने—

'कहाँ जा रहे हो?'

'एम. पी. ।'

'कब लौटोगे?'

'फ़िलहाल तो लौटने का कोई प्लान नहीं। वहाँ सहरिया ट्राइब्स पर कुछ काम करना है।'

'फिर मुझे भी ले चलो।'

'क्यों?'

'क्यों का मतलब क्या? अकेले क्या करूँगी मैं यहाँ? और क्यों रहूँ अकेले? आखिर मैं तुम्हारी'...वह कहते-कहते रुक गयी और आँखें भर आईं।

'ओह कम ऑन मिताक्षरा। डोंट बिहेव लाइक पूअर वाइव्स। मैंने तुम्हें किसी रिश्ते में नहीं बाँधा है। यू आर फ्री लाइक एवर। अब मुझे वहीं रहना होगा। तुम हॉस्टल लौट जाओ। कभी दिल्ली आया तो मिलूँगा। किताबें छोड़े जा रहा हूँ। कभी आया तो ले लूँगा।'

और वह चला गया।

एक दरवाज़ा बन्द हुआ और सारा रिश्ता ख़त्म। रोना चाहती थी पर आँसुओं ने साथ ही नहीं दिया। अब भी उस कमरे में दो लोगों का बिस्तर था। अब भी रसोई में दो जोड़ी बर्तन थे। अब भी दो लोगों की देह गंध थी। इन सबके बीच वह अकेली थी। काँच के हथटूटे कप में सिगरेट के तमाम अधजले टुकड़े थे। बिस्तर के नीचे पड़ी कई बोतलों की पेंदी में थोड़ी-थोड़ी शराब थी...वह अचानक उठी। सारी बोतलें निकालीं और एक गिलास में उड़ेलने लगी। आधे से अधिक भर गया गिलास। फिर छाँट कर निकालीं कई अधजली सिगरेट।

एक टुकड़ा जलाया और सारा धुआँ भीतर भर लिया...आश्चर्य..कोई ठसका नहीं लगा।

फिर एक के बाद एक कई कश लिए और वह आधे से ज़्यादा भरा गिलास खाली कर दिया...आश्चर्य! कोई नशा नहीं हुआ!

~

रंजन सर के जाने के थोड़ी देर बाद वह भी दफ़्तर से निकल गयी। पहले सोचा कि घर चली जाए, फिर जाने क्या सोच के कॉफ़ी हॉउस चली गयी। अगस्त की दोपहर आसमान पर बादलों के हल्के-हल्के धब्बे थे। कॉफ़ी हाउस अभी गुलज़ार नहीं हुआ था। दीवाल से लगी टेबलों के इर्द-गिर्द कुछ युवा लड़के-लड़कियाँ बैठे हुए थे। यू.सी.बी. के रोल्स में तम्बाकू भरा जा रहा था। शायद उसके साथ कुछ और भी। भीतर की कुर्सियाँ खाली पड़ी थीं, लेकिन वहाँ सिगरेट पीना मुमकिन न होता तो उन्हीं कुर्सियों के थोड़ा और पीछे काउंटर के पास बैठ गयी। एक काली कॉफ़ी ऑर्डर की और सिगरेट सुलगा ली। पहले सोचा, रंजन सर को फ़ोन लगाये। लेकिन वह उन्हें जानती थी। अगर ऑफ़िस की कोई ऐसी बात होती जो बताई जा सकती तो अब तक बता चुके होते। शुभांगी दीदी को पता होगा। लेकिन अगर उन्होंने मना किया होगा तो दीदी भी कभी नहीं बताएँगी। फिर भी एक बार पूछने में क्या हर्ज़ है?

तीन बार पूरी-पूरी रिंग जा चुकी थी, लेकिन कोई रिस्पांस नहीं आया था। अब तक कॉफ़ी आ चुकी थी। उसने घर का नम्बर डायल किया। उस तरफ़ मीना थी...'तबियत ख़राब है दीदी की। दो दिन से अस्पताल में हैं। साहब वहीं गए हैं...हमें बताया नहीं। लेकिन अच्छा नहीं है सब दीदी...साहब बहुत परेशान हैं। कल देर रात आये थे घर एक घंटे के लिए। अकेले कमरे में रो रहे थे। नीतू बेबी तो हॉस्टल में ही हैं...मैंने पूछा...पर कुछ बताया नहीं। हास्पिटल का नाम तो नहीं पता...'

शुभांगी दीदी! बीमार! ऐसा कैसे हो सकता है? इतना सँभल-सँभल के खाने वाली शुभांगी दी। रोज़ टहलने वाली शुभांगी दी। नशे के नाम से चिढ़ने वाली शुभांगी दी। हँसतीं तो लगता किसी गिलास में शराब छलक उठी हो। आवाज़ जैसे किसी पहाड़ पर रौशनी बरस पड़े अचानक। खिला रंग। लम्बा क़द। जहाँ होतीं वहाँ छा जातीं। औरतों के हक़ में कहीं कोई आन्दोलन हो, वह सबसे अगली पंक्ति में देखी जा सकती थीं, हाँ, जब टीवी वाले बाईट लेते या फ़ोटोग्राफ़र घेरते तो चुपके से निकल जातीं। पत्रिकाओं और अख़बारों में लगातार लेख लिखतीं, सेमिनार्स आयोजित करातीं, कहीं कोई घटना हो तो स्टडी टीम का हिस्सा बन के चल देतीं। इतनी फ़िट, इतनी ऊर्जावान। उन्हें क्या हो सकता था!

कॉफ़ी ठंडी हो रही थी। उसने एक झटके में हलक में उड़ेल ली।

अचानक ख़याल आया, डॉ. निशा को तो ज़रूर पता होगा। उनकी इतनी अच्छी दोस्त हैं। फ़ोन लगाया...'

'क्या बताऊँ मिताक्षरा, मैं तो समझ ही नहीं पा रही कि शुभांगी जैसी औरत को किसकी नज़र लग गयी। शी इज़ डायग्नोस्ड विद ब्रेस्ट कैंसर। गाँठ थी उसके बाएँ ब्रेस्ट पर। मैंने ही सलाह दी थी बायोप्सी की। एंड द वर्स्ट थिंग इज़ दैट इट हैज़ वर्सेंड ऑलरेडी...' वह जाने क्या-क्या बताती रहीं। मेडिकल की कुछ अबूझ टर्म्स। वह जैसे सुनते हुए भी कुछ नहीं सुन रही थी। जैसे अचानक बादल बहुत गहरे हो गए थे। जैसे अचानक कोई बेआवाज़ बवंडर उठा था। जाने कब तक डॉ. निशा बोलती रहीं और जाने कब फ़ोन बन्द हुआ। जैसे सुनने की ताक़त ही ख़त्म हो गयी थी उसकी। सामने बैठे लड़के-लड़कियों के ग्रुप ने ठहाका लगाया, लेकिन उसे सिर्फ़ खुलते-बन्द होते होंठ दिखे। बैरा आकर 'कुछ और' पूछ गया लेकिन उसे सिर्फ़ उसका आना और फिर चला जाना दिखा। देखते-देखते कॉफ़ी हाउस नए चेहरों और आवाज़ों से भर गया। आसमान में धूसर उजाले की जगह मद्धिम चाँदनी ने ले ली। अचानक जैसे किसी ने कहा, 'आठ बज गए!' घर जाना था अब। घर! एक सिहरन-सी उसकी रीढ़ की हड्डियों से गुज़र गयी। अचानक बाएँ सीने में दर्द की एक कमज़ोर-सी लहर उठती महसूस हुई...धीरे-धीरे वह लहर पूरे शरीर में भर गयी।

दरवाज़ा भीतर से बन्द किया तो साँसें दूनी गति से चल रही थीं। शर्ट के दो बटन्स खोले और खींच कर उतार दिया। ब्रा उतारी और शीशे के सामने खड़े होकर ग़ौर से देखा। बाएँ सीने पर कुछ हल्की नीली धारियाँ दिखीं। फिर ढूँढ़ना शुरू किया। कभी किसी जगह पढ़ा था कुछ। हाथों में लेकर अलग-अलग मुद्राओं में देखा। कोई गिल्टी नहीं मिली। लेकिन दर्द बदस्तूर था। फिर दाहिना सीना भी। वहाँ भी कुछ नहीं मिला। थककर बैठ गई स्टूल पर दोनों हाथों में चेहरा थामे। फिर अचानक शीशे पर नज़र पड़ी। आँखों के नीचे हल्के धब्बे आ गए हैं। होंठ सूजे हुए से लग रहे थे। सीनों का आकार कितना बेडौल हो गया है। पेट पर कितनी चर्बी फालतू की। दोनों बाँहों और सीने के बीच माँस के लोथड़े लटक गये हैं। वह उठकर शीशे के पास पहुँची और जींस उतार दी। उफ़, कितना अजीब हो गया था पेट का आकार। टाँगों से लेकर सीने तक माँस ही माँस। विजय के जाने के बाद उसने शेव भी नहीं की थी। एक अजीब-सी मितली उठी गले में। बेड के नीचे से बोतल निकाली और आधा गिलास भर

कर गले में धकेल ली। आग की एक धार-सी उतरती लगी देह में। फ़ोन स्विच ऑफ़ कर दिया और एक चद्दर लपेट कर बिस्तर पर पड़ गयी।

~

रंजन सर ने तीन महीने की छुट्टी भेजी थी। मैंनेजमेंट ने इन तीन महीनों में उसे सम्पादक की ज़िम्मेदारी सँभालने को कहा था।

स्तन निकाल दिए जाने के बाद भी उनकी दिक़्क़तें कम नहीं हो रही थीं। दफ़्तर से छूटकर वह सीधे उनके पास जाती। छुट्टियों में पूरा-पूरा दिन वहीं रहती। तमाम नलियों के बीच लेटीं शुभांगी दीदी। कन्धों तक लहराते बाल अब नहीं थे। मरीजों के नीले गाउन में उनकी बीमार देह देख के सिहरन होती थी। सामने आने पर मुस्कुराने की कोशिश करतीं तो पीड़ा की एक लहर साफ़ दिखाई देती। हाथ उठाने की कोशिश करतीं पर उनमें ताक़त ही नहीं रह गयी थी। बोलतीं तो आवाज़ कहीं दूर से आती लगती। सोने-सी दमकती देह राख का ढेर हो गयी थी कुछ ही हफ़्तों में।

डॉक्टरों और देखने आने-जाने वालों की भीड़, दवाओं और दूसरे इंतज़ामों के बीच रंजन सर किसी ख़ामोश मशीन में तब्दील हो गए थे। लोग पूछते तो यंत्रवत वही बातें दुहरा देते। पूरा समय उनके सिरहाने चुपचाप खड़े रहते। वह कुछ कहतीं तो धीमे से जवाब देते, कभी हल्का-सा मुस्कुरा देते, कभी उनके हाथ थाम लेते। आँखें भर आतीं तो बाहर निकल आते। मिताक्षरा ने मैगजीन के बारे में पूछा तो बस उसके कंधे पर हाथ रखते हुए कहा, 'तुम देख लो मिताक्षरा।' चौबीसों घंटे मैगज़ीन में जीने-मरने वाले रंजन सर के लिए जैसे अब उसका कोई अस्तित्व ही नहीं था। कभी शुभांगी दीदी से पूछा था उसने, 'रंजन सर दिन-रात मैगज़ीन में लगे रहते हैं। आपको गुस्सा नहीं आता।' मुस्कुरा दी थीं वह, 'उस मैगज़ीन में स्याही नहीं रंजन का लहू लगा है मीतू। तू नहीं जानती कितना संघर्ष किया है उसने। मेरी नौकरी न होती तो नीतू को ढंग से पढ़ा भी नहीं पाते। यहाँ मिला उसे पहला मौक़ा अपने हिसाब से काम करने का और उसने झोंक दिया ख़ुद को। जब अंक फ़ाइनल करके वह घर लौटता है ना तो उसका चेहरा किसी पौराणिक देवता-सा लगता है। शान्त, संतुष्ट। यह नौकरी नहीं, सपना है उसका। एक मुसलसल सपना।' थोड़ी देर रुकने के

बाद बोली थीं वह, 'जैसे विजय के जीवन का सपना उसकी पेंटिंग्स हैं। वह उन्हें उस क़ीमत के लिए नहीं बनाता जो उस दलाल से मिलती हैं उसे। वह बनाता है क्योंकि उसे बनाना है। मत लड़ा कर उससे इतना। न बनाए तो वह कुछ और होगा, विजय नहीं होगा। फिर तू भी उसे प्यार नहीं कर पाएगी।' पता नहीं तब जानती भी थीं शुभांगी दीदी या नहीं कि मैगज़ीन भले सर का सपना हो उनके जीवन का यथार्थ तो बस वही थीं, लेकिन विजय के लिए उसका सपना और यथार्थ सब उसकी पेंटिंग्स ही थीं। उसकी अँगुलियों पर उन रंगों का निशान इतना गहरा था कि उस पर कोई और रंग चढ़ ही नहीं सकता था। वह छूता तो उसकी नहीं रंगों की गंध आती थी। या रंगों की गंध ही उसकी देह गंध थी। अचानक उसके सीने में दर्द की वह लहर फिर से उठी। उस सुबह-सी ही तीख़ी, गहरी...सारी देह अकड़ गयी थी जैसे उस दिन। विजय को किसी एक्ज़ीबिशन में जाना था। बोला, 'रास्ते में किसी डॉक्टर के यहाँ ड्रॉप कर देता हूँ।' कट कर रह गयी थी वह। सारा दर्द घोंटकर बोली, 'नहीं डॉक्टर की कोई ज़रूरत नहीं।' वह चला गया था। शुभांगी दी से झूठ बोला कि विजय शहर से बाहर गया है। टेस्ट कराया तो बी पी, कोलेस्ट्राल, यूरिक एसिड सब बढ़े हुए थे। दो दिन अस्पताल में रही। लौटी तो वह अपने इजेल से उलझा हुआ था। एकदम निस्पृह पेंटिंग बनाता हुआ। आज लौटेगी तो घर पर कोई नहीं होगा। इस होने और न होने में क्या फ़र्क़ है?

क्या चाहा था उसने? वह माँ की तरह नहीं होना चाहती थी कि सारी इच्छाएँ पापा की ज़िदों की ग़ुलाम हो जाएँ। वह अपनी उन सहेलियों जैसा नहीं होना चाहती थी, जिन्होंने शादियाँ कीं तो अपने उल्लास पिता के घर ही छोड़ गईं। वह आज़ाद होना चाहती थी। अपनी शर्तों पर रहना चाहती थी। अजामिल के जाने के बाद महीनों इसी उधेड़बुन में बीते थे कि उसे करना क्या है। एम.ए. के बाद पत्रकारिता में आने का उसका निर्णय मजबूरी था तो आज़ादी से जीने की राह पर रखा पहला क़दम भी। वह नाचना नहीं जानती थी, लेकिन इजाडोरा डंकन बनना चाहती थी। वह गाना नहीं जानती थी लेकिन माया एंजेलो बनना चाहती थी। वह लेखक नहीं थी लेकिन सिमोन बनना चाहती थी। वह चाहती थी कि कोई एक हो जिससे वह प्रेम करे और जो उसे प्रेम करे। अजामिल के जाने के बाद के एक छोटे से दौर के अलावा उसने कभी रिश्तों को अराजक तौर पर नहीं जिया। लेकिन किसी एक को प्रेम करने की यह ज़िद भी एक ग़ुलामी नहीं?

उस दिन फ़ेसबुक पर लिखा था उसने 'शादी क्या है? ग़ुलामी का सामाजिक और क़ानूनी अहद। वह कमा के लाएगा। तुम बदले में उसका घर सँभालोगी। उसके गंधाते मोज़े धोवोगी, उसके बदतमीज़ रिश्तेदारों को मटर-पनीर बना के खिलाओगी। वह बाप कहलायेगा, तुम उसके बच्चों का हगा-मूता साफ़ करोगी। अगर नौकरी में हो तो तुम महीने भर खटोगी और वह ए.टी.एम. कार्ड सँभालेगा। और हाँ...चाहे उसे पायरिया हो, चाहे उसकी देह में तुम्हें सँभालने भर की ताक़त न हो, लेकिन जब वह चाहेगा तुम उसके लिए बिस्तर पर बिछ जाओगी।' शुभांगी दी का फ़ोन आया था देर रात, 'क्या फ़र्क़ है मीतू मेरे और रंजन के रिश्ते और तेरे और विजय के रिश्ते में? हम घर लौटते हैं तो जो कम थका रहता है वह कॉफ़ी बना देता है। तेरे साथ भी यही होता है। हमारे यहाँ भी खाना बाई बनाती है, तेरे यहाँ भी। हम साथ निकलते हैं तो ड्राइव अक्सर रंजन करते हैं, तुम साथ होते हो तो भी विजय ही बाइक चलाता है। हम भी एक घर में रहते हुए एक बिस्तर शेयर करते हुए अपनी-अपनी ज़िन्दगियाँ जीते हैं, तुम दोनों भी....फ़र्क़ सिर्फ़ इतना है कि हम एक दूसरे के प्रति ज़िम्मेदार हैं और इस ज़िम्मेदारी का अहद क़ानूनी है। कोई दूसरे से अलग होना चाहे तो यों ही झोला उठा कर नहीं जा पाएगा। तुम जा सकते हो। इसीलिए हमारी एक बेटी है। तुम उसे ज़रूरी नहीं समझते...सचमुच? क्या यह सच नहीं कि तुम्हें भरोसा नहीं कि होने वाले बच्चे को तुम मिलकर पाल पाओगे? सच कहूँ तो मुझे यह ज़िम्मेदारियों से भागना लगता है। आज़ादी का मतलब कमज़ोरी नहीं होता मीतू। कभी-कभी हम जो चाहते हैं उसके न मिल पाने पर उससे नफ़रत का बड़े ज़ोरों-शोरों से ऐलान करते हैं। एक ग़ुलाम समाज में आज़ादी कहीं नहीं है। एक वेश्या तक अपना ग्राहक चुनने के लिए आज़ाद नहीं है। मैं मानती हूँ शादी पितृसत्ता का एक मज़बूत उपकरण है। लेकिन फ़िलहाल इसका विकल्प क्या है? जब तक समाज बच्चे पालने की ज़िम्मेदारी नहीं ले लेता मीतू, शादी के भीतर ही जितना लोकतंत्र मिल सकता है, उसे लेने की कोशिश सबसे बेहतर रास्ता है। हम क़िस्मतवाले हैं कि कम-से-कम पार्टनर चुनने का हक़ मिला है हमें। जो पुरुष हमारे साथ हैं वे चेतना के स्तर पर औरत की आज़ादी को मान्यता देते हैं। तो हमारा फ़र्ज़ बनता है कि जिन्हें इतना भी नहीं मिला उनकी मदद करें। यह जो तूने लिखा है न, यह अपराधबोध भले भरे कुछ औरतों में, कोई रास्ता नहीं दिखाता।'

'लेकिन मैंने तो ऐसे ही रिश्ते देखे हैं दीदी। पापा कॉमरेड थे दुनिया के

लिए। जेब का आख़िरी पैसा तक साथियों के लिए ख़र्च कर देने वाले। फिर घर का चूल्हा तो माँ को ही जलाना पड़ता था ना। कभी बनिए से उधारी के लिए मिन्नत करके, कभी बचाए हुए पैसों से, तो कभी कोई पायल, कोई कड़ा या कोई अँगूठी गिरवी रख के। पापा तो जब लौटते, उन्हें लगी हुई थाली मिलती। कभी जब साथ में कई लोगों को लिए लौटते तो माँ अपने हिस्से का भी खिला देतीं। कभी पूछा उन्होंने कि माँ ने खाया या नहीं? वह नास्तिक थे, माँ तो नहीं थीं। अड़ोस-पड़ोस तो नहीं था। त्यौहारों पर वह तो खादी का कुर्ता डाले निकल जाते थे, लेकिन हम जो नए कपड़ों में दमकते पड़ोसियों के बीच अकेले रह जाते थे, कभी सोचा उन्होंने क्या गुज़रती थी माँ के सीने पर? चाची, जो रोज़ पिटती थीं शराबी चाचा से। न उनके रहने पर खुल के रो पाईं कभी, न उनके जाने के बाद। मेरे साथ पढ़ती थी शालिनी। कितने प्यार से बुलाया था उसने। उसे क्या पता था कि उस दिन जल्दी आ जायेंगे पतिदेव। मैं कोई जानवर तो नहीं थी। अन्दर ऐसा शोर मचाया उस आदमी ने कि शालिनी से बोले बिना चली आई। इसी आदमी के दोस्त और रिश्तेदार जब आते होंगे तो पकवान बनाती होगी शालिनी।

'और मैं...एक अजामिल के लिए छोड़ के चली गयी थी सब कुछ। क्या उम्र थी तब? कुछ न सोचा। पागलों की तरह उसके नखरे उठाती रही। ट्यूशन कर-कर के ख़र्च चलाया। वह बैठा शराब पीता रहता और मैं खाना बनाती। सिगरेट के धुएँ से भरा रहता घर। एक बार देखा कि बीड़ी पी रहा है तो विल्स का पूरा क्रेट ला के रख दिया। क्या माँगा था बदले में? एक यह रिश्ता ही ना? लम्बे-लम्बे भाषण देता था स्त्री मुक्ति के। न जाने कहाँ-कहाँ से किताबें लाकर देता पढ़ने को। पर वह रिश्ता नहीं दे सकता था। जानती हैं ना आप एम.पी. नहीं गया था वह, बिहार लौट गया था अपने रईस बाप के पास। उनकी एक ही शर्त थी कि शादी उनकी पसंद से करे। सारा सिद्धांत धरा रह गया। मंत्री की बेटी के साथ कैलिफ़ोर्निया के उस फ़्लैट में कभी याद आती होगी उसको मेरी? एक बार कभी पूछा, ज़िन्दा हूँ कि मर गयी? एक्सेप्शन हैं रंजन सर। वह भी शायद आप माने बैठी हैं। नौकरी न होती आपके पास तो पता नहीं यह सब होता कि नहीं। आई हेट दीज़ मैन दीदी। मुझे नफ़रत है मर्दों से,' वह फट पड़ी थी।

'नहीं मीतू...तू एक अच्छे मर्द की तलाश में है। जाने दे...सो जा अभी। गुडनाइट,' हमेशा की तरह शान्त थीं शुभांगी दीदी।

कहाँ से सोती वह? जो पढ़ चुकी थी उसके बाद नींद कहाँ से आती। अपना लैपटॉप डिस्चार्ज था तो जल्दी-जल्दी में उसका डेस्कटॉप खोल लिया था। ग़लती से लॉग-इन छोड़ गया था और वहाँ चैट्स थीं किसी राधिका की। उसने पूछा था, 'कैसे रह लेते हो उस मोटी के साथ' और जवाब में विजय की स्माइलीज़ थीं...फिर वे चार शब्द, 'बस थोड़े दिन और।'

~

पत्रिका का सर्कुलेशन लगातार कम होता जा रहा था। विज्ञापनों में भी कमी आ गयी थी। मैंनेजमेंट के साथ दो मीटिंग्स हो चुकी थीं और उनका रुख बेहद कड़ा था। इन दिनों वह बारह-बारह घंटे दफ़्तर में बिताती। पूरा ले आउट बदल दिया गया। कई नई स्कीम्स जारी कीं। एक-एक आर्टिकल के लिए घंटों माथापच्ची करती। लेकिन कुछ था जो मिसिंग था। रंजन सर के साथ काम करते हुए उसे हमेशा लगता कि एक बार मौक़ा मिले तो वह इससे बेहतर करके दिखा सकती है। पहले अंक का जब सम्पादकीय लिख कर ख़त्म किया तो आँखें भर आई थीं। मन किया था फ़ोन करे किसी को।...लेकिन किसे? माँ को करती तो वह असीसने के सिवा और क्या करतीं। पापा कुछ लम्बे उपदेश सुना देते। फ़ेसबुक पर शेयर कर नहीं सकती थी छपने से पहले। फिर निहाल को मैसेज कर दिया। थोड़ी देर बाद उसकी स्माइलीज़ आईं...'पहले तो बधाई तुम्हारे पहले सम्पादकीय की। एक हादसे के चलते ही सही, लेकिन एक मौक़ा मिला है तुम्हें और इसे चूकना नहीं है। लेकिन यह सम्पादकीय पढ़कर ऐसा क्यों लग रहा है जैसे यह किसी विशाल पत्थर के नीचे दबे-दबे निकली आवाज़ है? कितनी गम्भीरता ओढ़ ली है तुमने। माना सम्पादन ज़िम्मेदारी का काम है लेकिन इसे सहजता से करोगी तभी सफल होगी। जैसे फ़ेसबुक पर अपने स्टेटस लिखती हो, जैसे महफ़िलों में मुँह पर खरी-खरी कह देती हो वैसे लिख क्यों नहीं सकतीं? संभव हो तो इसे फिर से लिखो, वरना अगली बार ख़याल रखना।' उसने दो स्माइलीज़ बनाईं और फ़ेसबुक से लॉग-आउट कर दिया। अजीब चीज़ है यह निहाल। पता नहीं क्या समझता है ख़ुद को। आज इतनी ख़ुश थी तो दो लाइन में प्रशंसा करके ख़त्म नहीं कर सकता था? ठीक है सीनियर है, लेकिन यह क्या कि जब मौक़ा मिले एक उपदेश दे डालो।

हद होती है किसी चीज़ की...उसका दिमाग भन्ना गया।

शुभांगी दी घर तो आ गयी थीं लेकिन रेडियेशन और कीमो अभी महीनों और होने थे। डॉक्टरों का कहना था कि अगले कुछ महीनों तक कुछ भी कहना मुश्किल था। वह हर दूसरे-तीसरे दिन उनसे मिलने जाती। बीच में एकाध बार फ़ोन किया तो लगा कि अब उन्हें बोलने में भी दिक़्क़त हो रही है। आवाज़ बीच-बीच में टूट जाती थी। जैसे बेहद थकी हों। रंजन सर से बात करने की कोशिश की तो वह बस हाँ, हूँ करके रह जाते थे। वह पूछना चाहती थी कि वह कब लौट रहे हैं। एक बार वह लौट आते तो सब ठीक हो जाता। उस दिन भी वह उन्हें ही फ़ोन मिला रही थी कि अमन ने बताया रंजन सर ने इस्तीफ़ा भेज दिया है और मैंनेजमेंट ने नए सम्पादक के लिए विज्ञापन तैयार करवा लिए हैं।

उस रात उसने बहुत सारे सपने देखे...एक सपने में मैंनेजमेंट उससे कह रहा था, 'विज्ञापन देना तो मजबूरी थी। लेकिन निश्चिन्त रहिये, सम्पादक का पद आपके पास ही रहेगा।' दूसरे सपने में उसकी प्रतिद्वंद्वी पत्रिका के मालिक जैन साहब उसके घर पर बैठे उससे अपने यहाँ सम्पादक की कुर्सी सँभालने का निहोरा कर रहे थे। तीसरे सपने में फ़ोर्ड फ़ाउन्डेशन के इंटरनेशनल चेयरमैन आई.आई.सी. में उसका पैग बनाते हुए अपना एशिया हैड बनने की विनती कर रहे थे। जाने क्या था कि सारे सपने आधे से टूट जाते। वह बार-बार कोशिश करती पर सपने पूरे ही नहीं होते। फिर धीरे-धीरे मैंनेजमेंट, चेयरमैन, सम्पादक...तमाम चेहरे शब्दों की तरह एक-दूसरे में घुलने लगे और वह एक अजीब से नशे में डूब गयी।

फिर उस रात नींद में एक सपना आया। *बहुत गहरा अँधेरा है। जगह भी पहचान में नहीं आ रही। वह भाग रही है। बेतहाशा। पीछे कई पाँवों की आवाज़ें हैं। लगातार बढ़ती हुई। अचानक किसी गड्ढे में उसका पाँव पड़ जाता है। वह चीख़ पड़ती है। वे आवाज़ें बिलकुल पास आ गयी हैं। ऐसा लगता है कि उन्होंने उसे घेर लिया है। वह चारों ओर देखती है पर कोई नज़र नहीं आता। अचानक उसकी नज़र नीचे की ओर पड़ती है और अँधेरे में चमकती हुई लाल-लाल आँखें दिखती हैं। दसियों जोड़ी आँखें, लाल-लाल। वह भागना चाहती है पर*

पाँव में बहुत दर्द है। उसकी चीख़ें तेज़ हो जाती हैं। तभी थोड़ी दूर पर एक कार रुकती है। 'अरे! अजामिल!' वह रो पड़ती है...'अजामिल प्लीज़ हैल्प मी,' वह उसकी ओर बढ़ता है लेकिन तभी उसका मोबाइल बज उठता है...कॉल काट के वह कहता है, 'सॉरी मिताक्षरा, मुझे अभी वाइफ़ को लेकर डेंटिस्ट के पास जाना है। मैं किसी और को भेजता हूँ।' उसने विजय को कॉल लगाई है...

'सॉरी यार, विजय की पेंटिंग एग्ज़िबिशन है आज...अली, सुदेश...सब बिज़ी हैं। तुम निहाल को फ़ोन लगा लेना। मुझे लेट हो रहा है...सॉरी।' कार निकलती है तो पीछे जैसे बवंडर-सा उठ आया है। धूल का बवंडर और उसमें सब कुछ उड़ने लगा है। वह एक बार फिर ज़ोर लगा कर भागती है। तेज़... बहुत तेज़। भागते-भागते अपने दफ़्तर के दरवाज़े पर पहुँच गयी। दरवाज़े पर अमन खड़ा है। वह कहता है, 'पहले रंजन सर को ले के आओ वरना दरवाज़ा खोलने की इजाज़त नहीं है।' वह रंजन सर के घर की ओर भागती है। वह दरवाज़ा खोलते ही चीख़ पड़ते हैं, 'तुम इन्हें यहाँ क्यों ले आईं?' वह बचाने के लिए गुहार लगाती है। रंजन सर फिर चीख़ पड़ते हैं, 'मैं किसी की मदद नहीं करूँगा। किसी ने शुभांगी की मदद नहीं की।' वह गिड़गिड़ाती है, 'प्लीज़ सर। मैं आपके सारे काम करूँगी। मुझे बचा लो प्लीज़। मुझे अपने घर में रख लो।' वह धीमे से बोलते हैं, 'मैं खुद जा रहा हूँ यहाँ से। अब तुम्हीं रहो इन कीड़ों के साथ।' वह थककर बैठ गयी, उनके सोफ़े पर। कमरे में भी अँधेरा है। जहाँ शुभांगी दी बैठती हैं वहाँ एक प्लेट में राख रखी है। वे आँखें उसकी पूरी देह पर भर गयी हैं। वह ग़ौर से देखती है तो वे आँखें नहीं हैं। छोटे-छोटे चेहरों से निकली जीभें हैं और चमकते हुए दाँत...तीख़े..नुकीले...अजामिल... विजय...अली...सुदेश...वे कुतर रहे हैं उसकी देह। पैरों के तलवे, जाँघ, योनि, नाभि, स्तन, गर्दन, होंठ..वह चीख़ना चाहती है पर आवाज़ नहीं निकलती।

फिर टेलीफ़ोन की घंटी बजने लगी। पहले धीमे...फिर तेज़...फिर और तेज़... नीरज था फ़ोन पर, आवाज़ भरी हुई थी...टूटी हुई...'दी...सागरिका...'
'क्या हुआ नीरज? ठीक से बता।'
'सागरिका ने सुसाइड'...इसके आगे की आवाज़ सिसकियों में डूब गयी।

∼

फ़ेसबुक सागरिका की तस्वीरों से भरी हुई थी। उसका सुसाइड नोट नेट पर वॉयरल हो गया था। उसने अपनी पत्रिका के सम्पादक और मैंनेजमेंट पर यौन उत्पीड़न का आरोप लगाया था। सुसाइड नोट पोस्ट करने के बाद रात को कोई दो बजे उसने ढेर सारी नींद की गोलियाँ खा ली थीं। सुबह जब उसके दोस्तों ने उसकी पोस्ट देखी तो दरवाज़ा तोड़कर उसे अस्पताल में भर्ती करवाया। सम्पादक के ख़िलाफ़ एक केस दर्ज़ हुआ था। लेकिन किसी टी.वी. चैनल पर कोई ख़बर नहीं थी। अभी तक सम्पादक के ख़िलाफ़ कोई कार्यवाही भी नहीं हुई थी। लोग बेहद गुस्से में थे।

मिताक्षरा ने घड़ी देखी तो नौ बज रहे थे। अक्टूबर की सुबह सर्दी ने धीमी दस्तक देना शुरू कर दिया था। उसने नीरज को फ़ोन करने के लिए लॉक खोला तो जैन साहब का सुबह सात बजे का एस.एम.एस. पड़ा हुआ था, *'कॉल व्हेन यू आर फ्री।'* थोड़ी देर सोचने के बाद उसने नम्बर मिलाया। सोचा था कि ख़ूब सुनाएगी। सागरिका जैसी लड़की के साथ ऐसा करने की हिम्मत कैसे हुई इन लोगों की! जैन साहब जैसे उसके फ़ोन का इंतज़ार कर रहे थे।

'हाऊ आर यू मिताक्षरा?'

'आई एम फ़ाइन सर, थैंक्स।'

'लुक ऋषभ इज़ ज्वाइनिंग योर मैगज़ीन एज़ अ चीफ़ एडिटर। आई डोंट थिंक यू विल लाइक टू वर्क अंडर ए जूनियर। सो यू आर वेलकम इन अवर मैगज़ीन। ज्वाइन द डे यू फ़ील कम्फ़र्टेबल। सेलरी इज़ नॉट एन इश्यू। इट विल बी अबाउट डबल देन व्हाट यू आर गेटिंग देयर।'

'ओह! थैंक्स सर। आई विल रिप्लाई सून।'

इस बीच नीरज की कई कॉल्स मिस हो गयी थीं। वह कुछ देर सोचती रही फिर उसने मोबाइल ऑफ़ कर दिया। लैपटॉप पर फ़ेसबुक लॉग-इन की तो चैट ऑफ़ कर दी। बीसियों लोगों ने उसे टैग किया था। कई मैसेजेज़ थे। निहाल ने लिखा था, 'तुम वहाँ हो। एक महिला पत्रकार के साथ यह जो हुआ है वह पत्रकारिता जगत में पैसे और पॉवर के साथ आ रही विकृतियों का सबसे बड़ा सबूत है। लोग बेहद गुस्से में हैं। एक स्त्रीवादी के रूप में तुमने बहुत सम्मान अर्जित किया है और अब तुम्हें ही इस केस में नेतृत्वकारी भूमिका निभानी पड़ेगी। फ़ेसबुक पर भी और बाहर भी।'

उसने फ़ेसबुक से लॉग-आउट किया। बीमारी का हवाला देते हुए ऑफ़िस

से छुट्टी के लिए एक मेल कर दिया। थोड़ी देर यों ही पड़ी रही तो रह-रह के सागरिका का चेहरा उसके सामने आने लगा। 24-25 साल की आई.आई.एम.सी. पासआउट सागरिका। खनखनाती हुई आवाज़। पहली बार नीरज मिलवाने के लिए वर्ल्ड बुक फ़ेयर में लेकर आया तो उसे देखकर आह्लाद से भर गयी थी सागरिका, 'कितना पढ़ा है दी आपको। फ़ेसबुक पर सबसे पहले आपकी वॉल देखती हूँ। क्या आग है आपकी क़लम में। मैं तो फ़ॉलोअर हूँ आपकी सबसे बड़ी वाली। आप जैसा लिखना चाहती हूँ। आप जैसा बनना चाहती हूँ।' उसके बाद भी कई बार नीरज के साथ और कई बार अकेले में मिली थी। एक बार शाम को आई तो रात में यहीं रुक गयी। देर रात तक बातें करती रही, योजनायें बनाती रही। वह फ्रीलांस करना चाहती थी। महिलाओं से जुड़े मुद्दों पर लगातार लिखना चाहती थी। मिताक्षरा ने उसे कई सारे आइडियाज़ दिए थे। जब से शुभांगी दी की तबियत ख़राब हुई थी उससे मिलना-जुलना नहीं हो पाया था, लेकिन फ़ेसबुक और मोबाइल पर वह लगातार मैसेज किया करती थी। जाने क्या सोचकर मिताक्षरा ने मोबाइल फिर से ऑन किया। नीरज ने मैसेज किया था। वह अस्पताल में था और सागरिका को ख़ून की ज़रूरत थी। मिताक्षरा ने रिप्लाई किया, 'आ रही हूँ।'

अस्पताल के बाहर भी लोगों की भीड़ लगी थी। उसने स्कूटी पार्क की तो कई लोगों ने घेर लिया। एक ने पूछा कि 'आपने इस इश्यू पर कुछ लिखा क्यों नहीं?' मिताक्षरा ने घूरकर देखा उसे, 'इस वक़्त फ़ेसबुक स्टेटस लिखना ज़रूरी है या सागरिका की जान बचाना।' वह सहम गया। नीरज से बात करके उसने तमाम लोगों को फ़ोन लगाए। ख़ून का इंतज़ाम हो गया था। शाम होते-होते सागरिका को हल्का होश आने लगा था। उसके मम्मी-पापा भी आ गए तो मिताक्षरा घर लौट आई।

घर आकर उसने लैपटॉप खोला। तीन नई मेल्स थीं। पहली दफ़्तर से। उससे सम्पादकीय प्रभार ले लिया गया था। दूसरी जैन साहब की, उन्होंने प्रपोज़ल लैटर भेजा था और तीन दिन बाद अपने यहाँ ज्वाइन करने का न्यौता दिया था। तीसरी मेल डॉ. निशा की थी। इस बार भी कोलेस्ट्रॉल काफ़ी हाई था, सिगरेट छोड़ने की सख़्त ताक़ीद की थी और वज़न कम करने की भी। फ़ेसबुक खोला तो दो दिन बाद सागरिका के समर्थन में उसकी पत्रिका के दफ़्तर के

घेराव के लिए बने इवेंट का आमंत्रण था। उसने दो मिनट यों ही देखा और फिर 'मे बी' पर क्लिक कर दिया। निहाल का एक और मैसेज था। उसने पढ़ा ही नहीं और फ़ेसबुक लॉग-आउट कर दिया।

मोबाइल खँगाला तो पता चला उसके पास अब भी ऋषभ का नम्बर था। सोचा, कॉल कर ले। पूछे...फिर नहीं किया। फ़ोनबुक पर यों ही नम्बर्स आगे बढ़ाने लगी तो अँगुलियाँ अचानक शुभांगी दी के नम्बर पर रुकीं। वह होतीं अगर तो फ़ेसबुक पर सबसे तीख़ा स्टेटस उन्हीं का होता। वह उस प्रदर्शन में जाने के लिए तमाम लोगों से बात कर रही होतीं। फिर अचानक ख़याल आया, मान लो यह मेरे साथ होता। रंजन सर ने कभी ऐसा किया होता तो? तो शुभांगी दी कर पातीं ऐसा? मान लो उसने कभी फ़ोन करके उन्हें ही सबसे पहले बताया होता तो? तो क्या कहतीं वह? रहने दो। कुछ नहीं कहतीं। समझातीं। पर स्टेटस कभी नहीं लिखतीं। स्टेटस लिखते ही वह रिश्ता हमेशा के लिए ख़त्म हो जाता। तब उनकी तीमारदारी में नहीं जुटे होते रंजन सर। और आज अगर वह अकेली होतीं? अस्पताल से घर तक? तो? तो क्या ये लोग जाते वहाँ उनकी सेवा करने? रहने दो। कोई नहीं जाता। बातें हैं बातों का क्या! उसके सीने में एक बार फिर दर्द की लहर उठी। उसने ज़ोर से भींचा उन्हें और फिर सिगरेट सुलगा ली।

अगले दो दिन भी वह दफ़्तर नहीं गयी। ऋषभ ने ज्वाइन कर लिया था। सागरिका को अब होश आ गया था। पुलिस ने उस पर आत्महत्या के प्रयास का मामला दर्ज़ कर लिया था। सम्पादक को निकाल दिया गया था, लेकिन मैंनेजमेंट पर अब तक कोई केस नहीं हुआ था। जैन साहब के दो और मेल आये थे। फ़ेसबुक धधक रहा था। नीरज ने कई कॉल्स की थीं इस बीच। वह प्रदर्शन की तैयारियों में लगा था। निहाल ने कई मैसेज किये थे। उसने पढ़े ही नहीं। माँ का फ़ोन आया था। छोटी बहन की फ़ीस जमा करनी थी और बाबूजी कहीं दौरे पर निकल गए थे। उसने ऑनलाइन ट्रांसफ़र किया तो याद आया कि मकान मालिक को किराया भी देना है। अकेले के लिए घर बड़ा था। किराया अधिक। लेकिन शिफ़्ट करने के लिए एजेंट की फ़ीस और एडवांस सहित जो रक़म चाहिए थी उसका इंतज़ाम करना मुश्किल था। काश! कोई और होता साथ में..सिगरेट भी महँगी हो गयी थी। इधर जो बन्दा आर्मी कैंटीन से सामान सप्लाई करता था उसका भी ट्रांसफ़र हो गया था...

और दो दिन बीत गए!

बारह बजे घेराव था। वह घर से निकली थी घेराव के लिए ही। मेट्रो से उतर के उधर चली तो रास्ते में जैन साहब मिल गए और उनकी गाड़ी में बैठ गई। काले शीशे के उस पार लोग बैनर-पोस्टर लिये खड़े थे, नारों की तेज़ आवाज़ें शीशे से टकरा के लौट जा रही थीं...जैन साहब की सिक्योरिटी तैनात थी और साथ में ढेरों पुलिसवाले भी...कार तेज़ी से ऑफ़िस के गेट की तरफ़ बढ़ी।

उसने फ़ेसबुक खोला...थोड़ी देर तक देखती रही...फिर डीएक्टिवेट कर दिया।

आय एम सॉरी नीलू

देह का क्या है, ज़रा सी ढील दी और उड़ने लगती है।

'आप कभी उड़े हैं?'

'क्या? हवाई जहाज़ से?'

'उसमें आप कहाँ उड़ते हैं भाई? उड़ता तो हवाई जहाज़ है और उसे भी उड़ाता कोई और है! उड़ने का सुख तो बस पक्षी जानते हैं और कपास के वे फाहे जो हवा के भरोसे छोड़ देते हैं खुद को और निश्‍चिंत बहते जाते हैं आसमान के समन्दर में...न तो यह पता होता है कि जाना कहाँ है और न ही उसकी फ़िक्र। चलना हो या उड़ना, मज़ा बेफ़िक्री में है। मंज़िल की फ़िक्र चलने का मज़ा छीन लेती है।'

'आपने कभी सिगरेट पी है?'

'काम करते वक़्त या लिखते वक़्त सिगरेट पीने का मतलब है बस उसकी जान लेना और अपने सीने में थोड़ी आग भरना। जैसे कोई जानवर पेट भर रहा हो। सिगरेट पीने का मज़ा तो तब है जब उसे अलग से एक काम की तरह कीजिये। चुपचाप, अकेले किसी ऐसी जगह पर बैठकर, जहाँ कोई और काम न करना हो। जैसे नीलू पीती थी। हमेशा कमोड की सीट पर, बाथरूम की सिटकनी लगाकर। लेकिन यह उसने शुरू किसी मज़े के लिये नहीं किया था... शुरू तो डर से किया था। उसकी ज़िन्दगी के सारे क़िस्से डर से ही तो शुरू हुए थे और कौन-सी औरत है, डर जिसकी ज़िन्दगी का हिस्सा नहीं। हिस्सा क्या, डर तो हर औरत की ज़िन्दगी का दरोगा होता है और दुख चौकीदार। इनसे छूटी तो कौन उसे औरत मानेगा? जब वह सिगरेट हाथ में लिये बाथरूम में जाती थी तो औरत को चौखट पर ही छोड़ जाती थी। फिर भी दुख तो भीतर आ ही जाता था और वह औरत बाहर खड़ी लगातार दरवाज़ा खटखटाती रहती थी।'

दस साल हो गये आज। दस साल! एक युग। जिसमें दुधमुँहा बच्चा तीसरी-चौथी में पहुँच जाता है, एक हँसती-खेलती लड़की उदास औरत में तब्दील हो जाती है, ज़्यादातर धाराओं के बंदी छूटकर घर आ जाते हैं, कितना सारा पानी बह जाता है नदियों में। लेकिन जब ठहर जाते हैं ये बरस समंदर की कोख में पड़े किसी अभागे जहाज़ की तरह तो?

डूब ही तो गया था उसका जहाज़ यात्रा के पहले ही पड़ाव पर। पड़ाव भी कहाँ बस लंगर से छूटते ही। देह और मन दोनों ख़जाने से लबालब इस अँधेरी गुहा में पटक दिये गये थे अचानक...दस साल!

निरंजन और मैंने साथ में ही ज्वाइन किया था। एस.एससी. की परीक्षा पास करके वो इलाहाबाद से आया था और मैं लखनऊ से। सफ़ेद बालों, बदरंग साड़ियों और उधड़ी शर्टों के बीच हम दोनों किसी अजूबे की तरह थे। हमारो उम्र, हमारे कपड़े, हमारी चमक, हमारे सपने सब उन बजबजाती फ़ाइलों के बीच बेमेल लगते थे। हज़ार कोशिशों के बाद भी उन महिलाओं की नसीहतें न मान पाने की लाचारी के बीच न जाने कब मैं और निरंजन दोस्त बन गये—पक्के दोस्त। ऑफ़िस ही नहीं कैंटीन से सिनेमा हॉल तक में हमारी कुर्सियाँ अगल-बगल रहती थीं। पता नहीं उसका असर था कि दफ़्तर में पूरा दिन चलने वाली कानाफूसियों का, कि बस मुझे उससे प्रेम होने ही वाला था...फिर उस दिन कैंटीन में तमाम फुसफुसाहटों के बीच निरंजन ने मुझसे कहा—'अगर नीलू यह सब सुन ले तो मार ही डाले मुझे!' नीलू? यह नाम पहली बार सुना था मैंने और चौंक गई थी। फिर उसने सब बताया—कैसे नीलू और वो एक ही क्लास में नर्सरी से एम.एससी. तक साथ पढ़े और ऐसे जुड़े कि कभी किसी को प्रपोज़ करने की ज़रूरत ही नहीं पड़ी। और दिक़्क़त भी तो नहीं थी कोई। दोनों के पिता अच्छे दोस्त थे। एक ही जाति। सब जैसे क़िस्मत के क़लम से लिखा हुआ। थोड़ा झटका-सा ज़रूर लगा मुझे लेकिन फिर सँभाल लिया। अगले महीने ही शादी थी उनकी।

फिर सब कितनी जल्दी-जल्दी हुआ। शादी के बाद उसका लौट कर अकेले आना। नया फ़्लैट किराये पर मैंने ही दिलवाया था। गैस के चूल्हे से लेकर सोफ़े तक सब उसके साथ-साथ पसंद कराया। वह नीलू को लेकर लौटने के लिये इलाहाबाद चला गया और लौटी तो बस उसके एक्सीडेंट की ख़बर! उफ़! उस एक पल ऐसा लगा कि मैं नीलू हो गई थी। कितनी रातें बस

आँसुओं में। कितने दिन बस उदासी में। कितने महीने बस एक चुप्पी में...और फिर जब नीलू को देखा तो लगा कि मैं नीलू कभी हो ही नहीं सकती थी। उसकी आँखें जैसे कोई अन्तहीन सुरंग। जब निरंजन था तो यकीनन इनमें कोई समन्दर लहराता होगा। मुझे देखा तो बस लिपट गयी...आँसू...न कोई आवाज़। बहुत देर बाद जब कहा कि 'निरंजन आपकी बहुत बातें करते थे।' तो लगा जैसे आवाज़ उसी सुरंग से आई है। बस इतना बोल पाई कि 'वह तुमसे बहुत प्यार करता था।' और दोनों के आँसू साथ-साथ निकल आये।

जो लोग दफ़्तर में निरंजन को कभी पसंद नहीं करते थे उन्होंने भी नीलू के मर्सी एप्वाइंटमेंट में पूरी मदद की थी। एस.ओ. साहब खुद फ़ाइल लेकर दिल्ली तक गये नीलू के पापा के साथ और ठीक चार महीने बाद वह मेरे बगल की उसी सीट पर थी। एक गंदुमी-सी साड़ी, बीच से निकली सीधी माँग जो कहीं ख़त्म ही नहीं होती थी, हाथ में एक काला कंगन और उन सूनी सुरंगों के दरवाज़े पर बैठा ढेर सारा डर। सुबह हॉस्टल से मेरे साथ निकलते हुए उसने पूछा था—'मैं कर पाऊँगी ये सब?' मैंने बस उसके कंधे थपथपाये और कहा—'कुछ करना नहीं होता है। सब हो जाता है।' और सब होता गया।

दिन बीतते गये। वह दफ़्तर के माहौल में ढलने लगी। दुख की बदलियों के बीच धूप के छोटे-छोटे टुकड़े। डर के कुहासे के बीच रोमांच की क़तरा-क़तरा रौशनी। हालाँकि वह भी लोगों को कम नहीं खलती थी। जिस दिन पहली बार उसने बिंदी लगाई, वह काली बिंदी भी लोगों की नज़रों में शूल की तरह गड़ी। उसकी मुस्कुराहट लोगों की आँखों में प्रश्नवाचक चिन्हों की कतारें खड़ी कर देती, साड़ी की जगह सूट क्या पहना नसीहतों की बर्छियाँ उसके कलेजे को भेदती चली गयीं। ऐसे मौकों पर वह बस चुप रह जाती। हाथ में चाय का कप लिए-लिए हिचकियों में डूब जाती और लोग अपनी गलदश्रु सहानुभूतियों में तृप्त कहते—'निरंजन बेटे जैसे था हमारा। तुम्हारे भले के लिये ही कहते हैं' और उसकी सुरंगें और वीरान हो जातीं। मैं भरसक कोशिश करती उसे उन सबसे दूर रखने की लेकिन कितना कर पाती। हॉस्टल के कमरे में भी वह बिलकुल अकेली पड़ी रहती। सामने निरंजन की तस्वीर को घूरती रहती। उसकी पुरानी डायरियाँ पलटती। उसके पुराने ख़त बार-बार पढ़ती और आँखों की कोर से बूँदें अपने-आप बहती जातीं। छुट्टियों के दिन

जैसे पहाड़ बन जाते। पूरा हॉस्टल मौज-मस्ती में डूबा रहता और वह अपने-आप में। 'कितनी बार कहा कि साथ चला करो। घूमोगी-फिरोगी तो मन हल्का होगा।' वह कहती—'मन है कहाँ दी। वह तो उसके साथ चला गया।' बहुत ज़िद के बाद रात को टीवी रूम में आकर बैठने लगी। कभी किसी दृश्य पर मुस्कुरा देती और कभी उदास हो जाती। फिर एक दिन अचानक उसने कहा—'दी आज फ़िल्म देखते हैं। कितने दिन हो गये!'

~

देखते-देखते दो साल बीत गये। मेरी शादी के बाद उसने हॉस्टल छोड़ दिया था और एक दो कमरों के फ़्लैट में रहने चली गयी थी। इस बीच मेरे प्रमोशन के बाद दफ़्तर में हमारे सेक्शन बदल गये थे, उसके कई नये दोस्त बन गये थे और मेरी व्यस्ततायें भी बढ़ गई थीं तो मिलना-जुलना काफ़ी कम हो गया था। कभी स्कूटर स्टैण्ड पर या कैंटीन में मिलती तो हर बार घर आने का वादा करती। न आ पाने पर अफ़सोस ज़ाहिर करती। फिर दोनों अपनी-अपनी व्यस्तताओं का रोना रोते और अपनी-अपनी राह पकड़ लेते। दफ़्तर में उसके गॉसिप अब पुराने पड़ चुके थे और वह उन दो हज़ार चेहरों में ऐसे घुलमिल गयी थी जैसे बाक़ी सब। पता नहीं कब और कैसे हम सब उस फ़ाइलों के बजबजाते मैदान में से अपनी-अपनी मेढ़ें बनाकर निकलना सीख जाते हैं, उन बदरंग चेहरों के साथ रहते-रहते वैसे ही होते जाते हैं। कहीं पढ़ा था कि तीस-चालीस साल साथ रहते-रहते पति-पत्नी की शक्लें एक जैसी लगने लगती हैं। शायद दफ़्तर में भी ऐसा ही होता है कुछ! लेकिन उस दिन जब मिसेज़ सिन्हा ने अलग से बुलाकर कहा कि तुमसे कुछ बात करनी है तो जैसे उस शान्त समन्दर में हज़ार पत्थर आ गिरे। कोई और कहता तो मैं उसे हँसकर टाल देती। लेकिन मिसेज़ सिन्हा! पति की मृत्यु के बाद पिछले सत्रह सालों में उनके चेहरे पर गम्भीरता के अलावा कोई और रंग नहीं देखा। तीन बच्चों और देवर की ज़िम्मेदारी। दफ़्तर... घर... बस इन्हीं के बीच भागती रहतीं। कभी किसी के बारे में कुछ कहते-सुनते नहीं देखा और आज जब वह नीलू के बारे में बता रही थीं तो भी जैसे शब्द कहीं दूर से आ रहे थे अटक-अटक कर—पूरे दफ़्तर में चर्चा थी कि नीलू का चक्कर उसी के सेक्शन के सुदीप

से चल रहा था! सिन्हा मैडम ने ख़ुद दोनों को दफ़्तर के बाहर कई बार एक साथ देखा था।

सुदीप! मैं जैसे आसमान से गिरी। वह तो...ऐसा कैसे हो सकता है! वह तो...नीलू ऐसा कैसे कर सकती है? उसके माँ-बाप का क्या हाल होगा जब सुनेंगे ये। उसकी अभी एक और छोटी बहन है। ऐसा कैसे हो सकता है! कैसे कर सकती है नीलू यह! मन किया सीधे उसके सेक्शन में पहुँचूँ और... फिर लगा कि मुझे क्या। उसकी ज़िन्दगी, जो चाहे करे। लेकिन ऐसा कैसे। मेरा दोस्त था निरंजन। आख़िर मेरी भी ज़िम्मेदारी थी उसके प्रति। चाहकर भी ख़ुद को रोक नहीं पाई, उसे फ़ोन किया और शाम को दफ़्तर से सीधे उसके घर पहुँच गयी। बिना किसी भूमिका के सीधे पूछा—'क्या सुन रही हूँ मैं? तुम और सुदीप? यह कैसे हो सकता है। कोई और होता तो मैं खुद मदद करती, लेकिन सुदीप!'

'क्यों, क्या प्रॉब्लम है सुदीप में?'

'तुम नहीं जानतीं?' मैंने सीधे उसकी आँखों में देखा और सहम गयी। उन सुरंगों में समन्दर के क़तरे झिलमिला रहे थे।

'मेरे साथ नौकरी करता है। स्मार्ट है। शराब नहीं पीता। मेहनती है। मेरी उम्र का है। अविवाहित है। आख़िर दिक़्क़त क्या है?' वह सोफ़े पर आराम से पसर गयी।

'मुझे बहलाओ मत नीलू। यह सब जानती हूँ मैं। लेकिन असली बात तुम क्यों नहीं कर रहीं,' मैं झल्ला गयी थी।

'असली बात?'—वह अनजान बनी रही।

अपने माता-पिताजी के बारे में सोचा है कभी? और छोटे भाई-बहनों के बारे में। मैंने लगभग आख़िरी हथियार चलाया तो उसके चेहरे पर न जाने कितने भाव आकर चले गये। रह गई तो एक उदासी—'मैं क्या करूँ दीदी... प्यार करती हूँ उससे'—जैसे ख़ुद से ही कहा उसने।

'पागल मत बन...'

वह उठी और अभी आई कहकर बाथरूम में चली गयी।

मेरा सिर घूम रहा था। चुपके से उसका मोबाइल उठाया और पिताजी का नम्बर नोट कर लिया। वह बाहर आई तो पीछे-पीछे तंबाकू की महक भी। एक बार विश्वास नहीं हुआ। पूछना चाहा लेकिन कुछ सोचकर चुप रह

गयी। उसके बाद कोई बात नहीं हुई। साथ में चाय पी और निकलते हुए मैंने उसके कंधों पर हाथ रखकर कहा—'मेरी छोटी बहन जैसी है तू। जो कहा तेरे भले के लिये। मेरी बात पर ग़ौर करना।'

आज लगता है कि हम जब किसी के भले की ज़िम्मेदारी अपने सिर पर ले लेते हैं तो उसकी ख़ुशी और आज़ादी की सारी संभावनायें छीनकर सबसे पहले उसके मन को जकड़ने की कोशिश करते हैं। वह सब उससे छीन लेना चाहते हैं जो उसके मन ने जुटाया होता है और उसे इतना अकेला और ग़रीब बना देते हैं कि हमारी हर बात मानना उसकी इच्छा नहीं मजबूरियों से संचालित होने लगता है। यही तो किया था मैंने। उसके पिता को फ़ोन कर सब बताया। उसके एस.ओ. से बात कर सुदीप को डेपुटेशन पर भिजवा दिया। जाने से पहले उसे ख़ूब बेइज़्ज़त किया। दफ़्तर के समय में नीलू का बाहर निकलना बन्द करा दिया। उफ़...क्या हो गया था मुझे। आज जब तीन-तीन महीने अविनाश यहाँ नहीं आता। तिल-तिल कर जलती है नीलू तो मैं भी जलती हूँ प्रायश्चित की आग में। मुझे लगता है कि इन सबकी ज़िम्मेदार मैं हूँ। सिर्फ़ मैं...तभी तो इनसे मँगवाकर सिगरेट के पैकेट चुपचाप दे आती हूँ उसे।

~

अविनाश से शादी के बाद से ही नीलू कभी खुश नहीं दिखी मुझे। पहले सोचती थी कि शायद सुदीप से अलग होने का दुःख और गुस्सा होगा, इसके पीछे। जब उसके उम्मीद से होने की ख़बर सुनी तो सोचा कि शायद बच्चे के बाद सब सामान्य हो जाये। लेकिन उसके बाद तो हालात और बिगड़ गये। अविनाश महीनों नहीं आता था। आता तो जितने दिन रहता नीलू बुझी-बुझी रहती। पड़ोसियों ने बताया कि रात-रात भर लड़ाइयाँ चलतीं। नीलू और बच्ची के रोने की आवाज़ें आतीं। वह कभी भी ऑफ़िस में आ धमकता और कैंटीन में बैठकर उल्टी-सीधी बातें करता। उसके जाने के बाद नीलू अक्सर पैसों के लिये परेशान रहती। अब वह किसी से बात नहीं करती थी। बच्ची एक क्रेच में रहती थी। मैंने कई बार पूछने की कोशिश की, लेकिन उसने कभी कुछ नहीं बताया। फिर आज अचानक उसका फ़ोन आया था—

'दीदी अभी मेरे घर आ जाओ।'

'इस वक़्त? अभी तो ऑफ़िस में हूँ।'

'छुट्टी ले लो। जैसे भी करो लेकिन आ जाओ,' उसकी आवाज़ आवेश से काँप रही थी।

दो दिन पहले ही अविनाश आया था। मैं किसी अनिष्ट की आशंका से काँप गयी। काम बन्द किया। आधे दिन की छुट्टी की अर्ज़ी दी और सीधे उसके घर पहुँची।

वह सोफ़े पर बैठी थी। बिलकुल शान्त। सामने टेबल पर ऐश-ट्रे और सिगरेट का पैकेट रखा था। मैंने पहली बार उसे जींस-टॉप में देखा था। देख के झुँझलाहट हुई कि ख़ुद तो आराम से बैठी है यहाँ और मुझे बेवजह परेशान कर दिया। फिर भी मैंने संयत होने की कोशिश करते हुए कहा—

'क्या हुआ? क्यों बुलाया मुझे?'

'वह अभी आयेगा। आपके सामने कुछ बात करनी है।'

'मेरे सामने! ऐसा क्या हुआ?'

'आने दीजिये उसे, फिर बताऊँगी। अभी आता होगा।'

'जेनिया कहाँ है?'

'क्रेच में,' उसकी आवाज़ में अजीब-सा ठण्डापन था।

'ये ऐश-ट्रे कब ली?'

'आज ही।'

और इसी बीच अविनाश दरवाज़े पर दिखा। मुझे देखकर ठिठक गया, फिर नमस्कार कर सामने बैठ गया। तीनों चुप। अविनाश की नज़रें ऐश-ट्रे और सिगरेट पर ही टिकी हुई थीं कि अचानक नीलू ने सिगरेट का पैकेट उठाया, एक सिगरेट निकाली फिर पर्स से लाइटर निकाल कर सुलगाया और ढेर सारा धुआँ निकालते हुए बोली—

'मुझे अलग होना है इससे। तुमने ही जोड़ा था ना रिश्ता। आज तुम्हीं यह फ़ैसला भी करो।'

'अलग होना है!' मैं जैसे सन्न रह गयी। 'क्या कह रही हो नीलू। पागल तो नहीं हो गयीं।'

'मुझे भी नहीं रहना इस कुलटा के साथ,' यह अविनाश की आवाज़ थी।

'चुप रहो,' मैंने उसे झिड़का।

'बोलने दो उसे।' नीलू अब भी शान्त थी। 'हाँ अविनाश, बताओ, सब बताओ दीदी को।'

'तुम्हीं बताओ। मैं क्यों सुनाऊँ तुम्हारे पापों के किस्से। किसी शरीफ़ घर की बहू को देखा है आपने ऐसे बेशर्मों की तरह सिगरेट का धुआँ उड़ाते?'

'ठीक है। मैं ही बताती हूँ। जेनिया इसकी बेटी नहीं है!'

'क्या?' मैं जैसे आसमान से गिरी। 'लेकिन तुमने तो कहा था कि सुदीप के साथ तुम्हारा...यानी...'

'सच कहा था मैंने। देह का सुख तो जाना ही नहीं था कभी दीदी। निरंजन कहता था कि यहाँ भीड़-भाड़ में नहीं। जब अपने घर चलेंगे तो और सुदीप कहता, ''अभी नहीं शादी के बाद।'' लेकिन शादी हुई तो ऐसे आदमी से जिसके वश में ही नहीं था वह सुख। सुनो अविनाश, शादी के बाद जब पहली बार आये थे तुम और मुझे जलता छोड़कर चले गये थे, उसी दिन आया था सुदीप मेरे कार्ड लौटाने...और लौट जाता वह। लेकिन मैंने ही रोक लिया उसे'...कहते-कहते उसने सिगरेट ऐश-ट्रे में मसल दी।

'झूठ बोल रही है। उस मेहतर के लौण्डे के साथ पता नहीं कितनी बार गुलछर्रे उड़ाये हैं' और...वह उठा तो आवेश में था लेकिन जब उसकी आँखें नीलू से मिलीं तो जैसे बिलकुल ठण्डा हो गया और सोफ़े पर बैठ सुबक-सुबक कर रोने लगा। मुझे कुछ समझ नहीं आ रहा था कि क्या करूँ।

एक श्मशानी चुप्पी पसर गयी कमरे में। फिर नीलू ही बोली...इनसे कहिये कि अपना सामान उठायें और यहाँ से चले जायें। हमेशा के लिये। वह यंत्रवत उठा। सूटकेस बँधा ही रखा था शायद। उठाया और धीरे-धीरे बाहर निकल गया। मैं वैसे ही बैठी थी...निःशब्द।

थोड़ी देर बाद मेरे मुँह से निकला, 'आय एम सॉरी नीलू।'

उसने एक सिगरेट निकाली...लाइटर मुट्ठी में दबोचा और चुपचाप बाथरूम में चली गयी।

पाँच सौ का नोट और छुट्टे पैसे

पाँच सौ का कड़क नोट देखकर मैं सहम-सा गया। दराज़ सरकाकर देखी तो दस-पाँच के कुछ मुड़े-तुड़े नोटों के अलावा दो-दो, एक-एक के जो सिक्के थे उन्हें मिला कर बमुश्किल सौ रुपये होते थे। अब सुबह-सुबह छुट्टे आते भी तो कहाँ से? पाँच साल पहले जब नई-नई दुकान खोली थी तो बात कुछ और थी। क़स्बे में गिने-चुने लोगों के पास फ़ोन थे। ससुराल में बैठी लड़कियों और महानगरों में पढ़ रहे लड़कों से बात करने वालों की भीड़ लगी रहती थी। रात नौ बजे के बाद रेट आधे हो जाते तो दुकान गुलज़ार हो जाती। हालत यह थी कि फ़ोन करने तो करने सुनने के भी पैसे देने के लिए लोग तैयार रहते थे। केबिन के पाँच रुपये अलग से। लेकिन यह सब इस मोबाइल युग के पहले की बात थी। अब तो हालत यह है कि सुबह से शाम तक सौ-दो सौ रुपये आ जायें तो बहुत। ऐसे में सुबह-सुबह पाँच सौ के फुटकर कहाँ से लाता? एक बार तो जी में आया इसे नक़ली साबित करके फुटकर माँग लूँ। आजकल तो एटीएम से भी पाँच सौ के नक़ली नोट निकल आते हैं। लेकिन उस छह फुटी काया के रोबदार व्यक्तित्व से कुछ कहने से पहले ही हिम्मत हवा हो गयी।

आँधी तूफ़ान की तरह दाख़िल हुए थे वह। दुकान खोलकर बस अभी दीया-बत्ती करके बैठा ही था कि एक पर्ची बढ़ाते हुए बोले—'ज़रा जल्दी फ़ोन लगाइये। बाबू ऑफ़िस निकल गये तो मोबइलवो पर बात करना मुश्किल हो जाता है।'

मैंने देखा महाराष्ट्र का नम्बर था शायद। पहली बार में ही घण्टी जाने लगी तो चोगा उनको दे दिया।

'हलोऽ'

'......'

'खुश रहऽ। का हाल बाऽ।'

'......'

'अच्छा। एगो जरूरी बात रहे त सोचलीं तोसे सलाह कर लीं।'

'.....'

'असल में बैंकवाला लोग रोज़ आ रहा है। कह रहे हैं सब कि एक ठो ट्रैक्टर ले लिया जाए।'

'........'

'सुन तो भई! ख़ाली तीस हज़ार लगाना है। बाकी पैसा लोन दे रहे हैं। साथ में पचास लीटर डीजल फ्री। किस्त दो महीना बाद सुरू होगा।'

'........'

'अरे भाई, बुरबक समझ रहे हो क्या। सब हिसाब लगा लिए हैं। अपना काम तो है ही, थोड़ा-बहुत दूसरे का खेत जोत लेगा। कुछ किराए पर लगा देंगे। किस्त आराम से निकल जाएगा।'

'.....'

'देखऽ बबुआ बारह बीघा खेत है तो का हुआ। दरवाजे पर बैल हो तो यादव अहिर होता है। ट्रैक्टर हो तो चौधरी साहब! समझे?'

'......'

'बस-बस। तुमको चिंता करने की कौनो ज़रूरत नहीं है। अपना खाओ-कमाओ मस्त रहो। यहाँ का हम देख लेंगे।'

'......'

'ठीक है-ठीक है खुस रहिए!'

फ़ोन रखते-रखते उनकी त्यौरियाँ चढ़ चुकी थीं—'चार अक्छर पढ़-लिख जा रहे हैं तो बुद्धि पलट जा रही है। बताइए आप ही सरकारी बैंक है कि कोई साहूकार है जो लूट लेगा। अरे भाई सरकारी योजना है। अपनी सरकार है। ऊपर से डण्डा हो रहा है तो सब सर्मा जी, सुक्ला जी दौड़-दौड़ के दुआर छेंक रहे हैं। नहीं तो का पागल कुक्कुर ने काटा है इन लोगों को? बम्बई से सिखा रहे हैं हमको कि बारह बीघा खेत में ट्रैक्टर का करेंगे। तुम का समझोगे गाँव जवार की राजनीति? डर रहे होंगे कि बाबूजी पईसा न माँग लें। अरे

रामनछत्तर यादव कभी हाथ नहीं फइलाए अपने बाप के सामने। ससुर....'

'क पईसा हुआ आपका?'

'सोलह रुपया।'

और बदले में मिला वही पाँच सौ का नोट।

आखिर निरीह बनकर कहना ही पड़ा...'फुटकर नहीं है का चौधरी साहब?'

'लाईये करा देते हैं।'

थोड़ी देर बाद कहीं से घूम-फिर कर लौटे और पैसे देते हुए कहा... 'एक दिन आते हैं तो एक ठो मोबाइल दिखाइये।'

'ठीक है चौधरी साहब आइये किसी दिन।'

और वे हीरो होण्डा का धुआँ उड़ाते चले गए।

ये मोबाइल वाला काम शुरू करने की सलाह दिनेश की थी। हम दोनों ने इस क़स्बे के प्राइमरी स्कूल से लेकर पास के शहर के डिग्री कॉलेज तक साथ-साथ पढ़ाई की थी। मेरे पिताजी डाकखाने में बड़े बाबू थे और उसके पिता क़स्बे के प्रसिद्ध हलवाई। उनकी दुकान उन दिनों हमारे क़स्बे की अघोषित कॉफ़ी हाउस हुआ करती थी। गाँव-जवार से लेकर देश-विदेश की राजनीति वहीं निपटायी जाती, रिश्ते तय हो जाते और मुकदमों के फ़ैसले भी। पिताजी वहाँ के नियमित बैठकबाज़ों में से थे। जब बी.ए. कर लेने के दो साल बाद भी मुझे कोई नौकरी नहीं मिली तो पिताजी ने चोर दरवाज़े तलाशने शुरू कर दिये। उसी 'कॉफ़ी हाउस' में एक दलाल से डेढ़ लाख में बात भी पक्की हो गई, लेकिन दलाल के जाने के बाद उस दिन पहली बार उन्होंने मेरे पिताजी को एक नेक सलाह दी—'देखिए बड़े बाबू, अब ये नौकरी-ओकरी की पहले जैसी बात नहीं रही। लाख-दो लाख खर्च करेंगे तब जा के मिलेगी क्लर्की। दलाल भाग गया तो वो भी डूबे। और मिल गयी तो घूमते रहो उठल्लू का चूल्हा बने इस शहर से उस शहर। दस-दस रुपये की घूस इकट्ठा करो, जनता की गाली सुनो और अफ़सर की डाँट। आपका ज़माना और था। मेरी मानिए तो वही पैसा लगाकर छोटा-मोटा धंधा शुरू करा दीजिए। घर में रहेगा, अपना काम करेगा और बुढ़ापे में आपका भी ख़याल करेगा।'

पता नहीं पिताजी को इस बहुआयामी सलाह का कौन-सा हिस्सा जँचा लेकिन कुल मिलाकर वह राज़ी हो गये। कस्बे के इकलौते सरकारी बैंक के

ठीक सामने नगरपालिका ने बारह बाई बारह की दस दुकानों का एक कॉम्प्लेक्स बनाया था। उसमें एक दुकान मेरे पिताजी ने अपनी आधी भविष्यनिधि के बदले ख़रीद ली और दो सेठ मिठाईलाल उर्फ़ दिनेश के पिताजी ने। हम दोनों पहले तो बहुत झनके-पटके लेकिन अन्ततः इस नियति को स्वीकार कर ही लिया। सामने बैंक में दिन-भर लोग आते-जाते रहते तो हमारी दुकानें भी हरी-भरी रहतीं, दिनेश के यहाँ से बैंक में चाय, नाश्ता सप्लाई होता था। वहीं बैठे-बैठे बड़ी-बड़ी डीलें तय हो जातीं। शादी-ब्याह के दिनों में बड़े ऑर्डर मिल जाया करते...कुल मिलाकर दुकानें चल निकली थीं और हम कॉलेज के दिनों को बहुत पीछे छोड़ बाल-बच्चेदार अधेड़ों में बदल रहे थे।

लेकिन इसी दौरान और भी बहुत कुछ बदल रहा था। दूरदर्शन पीछे छूट चुका था और रंग-बिरंगे सैकड़ों चैनलों पर नए-नए सामानों की धका-पेल शुरू हो गई थी। लाल दंतमंजन की जगह नए ख़ुशबूदार झागवाले टूथपेस्टों ने ले ली थी, रसोईघरों में अब राख नहीं, नींबू की ख़ुशबू वाला बार बर्तन साफ़ करने लगा था, सफ़ेद तो सफ़ेद काले बाल भी रंगे जाने लगे थे, बच्चे लाई-भूजा नहीं अंकल चिप्स और कुरकुरे की माँग करने लगे थे और शहर में इतनी मोटरसाइकलें आ गयी थीं कि साइकिल शर्म का सबब बन चुकी थीं। रोज़ नई-नई दुकानें खुल रही थीं। ख़ाली जगहों पर होर्डिंग्स ने कब्ज़ा जमा लिया था, जिनमें मुस्कुराते स्त्री-पुरुष-बच्चे किसी दूसरी दुनिया के प्राणी लगते थे। साथ ही हर नुक्कड़-चौराहे पर नये-नये मंदिर उग आये थे, नये-नये साधु-संत, जो बड़ी-बड़ी गाड़ियों से बिलकुल धवल चोगे पहने उतरते तो लगता जैसे पुरानी स्टेट के वानप्रस्थी नरेश उतर आये हों। पहले घर-घर फ़ोन लगे और फिर आया यह मोबाइल। साफ़-सुथरे नये-नये रेस्टोरेण्ट खुलने लगे और नई पीढ़ी चाट-समोसे से किनारा कर बर्गर-पिज़्ज़ा के देशी संस्करणों पर टूटने लगी।

इन सबका असर हमारे धंधे पर भी पड़ना ही था। दिनेश ने इसे पहले ही भाँप लिया और दुकान की शक्लो-सूरत बदल कर नाम रख दिया—टॉप इन टाउन रेस्टोरेण्ट। चाय, समोसे, कचौड़ी, जलेबी के साथ-साथ बर्गर, पिज़्ज़ा, पैटीज़ और कोल्डड्रिंक्स भी आ गये। काम करने वाले लड़के साफ़-शफ़्फ़ाक ड्रेस पहने बैरों में बदल गये और नये ग्राहक 'बाबूजी' से 'सर' में। दो रुपये की नमकीन के साथ चाय पीने वाले पुराने ग्राहकों के लिए दुकान के पीछे

चार बैंचों का इंतज़ाम कर दिया गया। बैंक में चाय एल्यूमिनियम की केटली की जगह मिल्टन के 'हॉट केटल' में जाने लगी।

उसी ने मुझे भी सलाह दी थी—'भैया, दुनिया के साथ बदलना सीखो। अब ये पी.सी.ओ. का ज़माना गया। ठेलेवालों और बनिहारों तक के पास तो मोबाइल आ गया है और जब दस-दस पैसों में बात हो रही है तो भला कोई तुमको दो रुपया क्यों देगा। ठीक है जब तक कमीशन निकल रहा है चलने दो, लेकिन साथ में कुछ और भी शुरू करो। सिम रखो, डोरी, कवर, बाऊचर... हज़ार चीज़ें हैं। दो-चार ठो मोबाइल भी रख लो। थोड़ा-बहुत काम चल जाये तो कोई एजेंसी ले लो।' परंपरा निभाते हुए मैंने सलाह मान ली। उसी ने दो-तीन कंपनियों के एजेंटों से संपर्क भी करा दिया और मैं सिम, बाऊचर और दूसरी चीज़ें भी रखने लगा। मोबाइल रखने का आसान रास्ता भी उन्होंने ही बताया—''मोबाइलों के झंझट में डायरेक्ट मत पड़िये। प्लास्टिक वाले मॉडल रख दीजिये ''डिसप्ले'' में। कोई ''कस्टमर'' माँगे तो जगदंबा वाले के यहाँ से लाकर दे दीजिये। कमीशन का दो-चार सौ मिल ही जायेगा।'

इस बदलाव का असर दिख रहा था। दुकान पर ग्राहकों की संख्या बढ़ने लगी थी। ये अलग तरह के ग्राहक थे। नई उम्र के लड़के, कंपनियों के सेल्समैन, दफ़्तरों के नए मुलाज़िम, नई तरह की दुकानों के मालिक। ये आत्मीय दुआ-सलाम में वक़्त ज़ाया नहीं करते। सीधे काम की बात—पसंद आया तो ठीक वरना सीधे न।

काम ऐसे ही चल रहा था कि अचानक वह नमूदार हुए। बाइक रोककर धीमे कदमों से दुकान तक आये और फिर स्टूल खींचकर बैठते हुए एक मुड़ा-तुड़ा कागज़ बढ़ाया। वही नम्बर था। पहली बार में मिल गया...

'हलोऽ'

'.....'

'खुश रहऽ बबुआ।'

'.....'

'हाँ सब ठीके है बेटा।'

'.....'

'अम्मा भी अब पहले से ठीक हैं। डॉक्टर कह रहे थे आपरेसन कराना पड़ेगा...जाड़े में करवा देंगे।'

'.....'

'नहीं...ऊ बीमारी के चक्कर में दू-तीन महीने से किस्त नहीं जा पा रही थी। वही बैंकवाले लोग आये थे।'

'.....'

'अब वहाँ कईसे बात करते। बात गाँव में फैलेगी तो फालतू में लोग बतंगड़ बनायेंगे।'

'.....'

'बारिस का का कहें। अभी तो बुवाई भी सुरू नहीं कर पाये। खाद-बीज-दवाई सब इतना महँगा है कि खेती तो रोजे मुस्किल होती जा रही है... छोड़ो ई सब तो लगा ही रहेगा।'

'.....'

'ना..ना। परेसानी वाली कोई बात नहीं है। धरती माँ अब तक पाली हैं तो आगे भी पालेंगी।'

'.....'

'सोच रहे हैं कि ऊ बारी किनारे वाला दू बीघा बेच दें। वैसे भी परती पड़ा है तीन साल से। किस्त भी निकल जायेगी और आपरेसन का खर्चा भी।'

'.....'

'ठीक है। देख लो। लेकिन जादा परेसान मत होना। सौदा हो गया है। दस-पाँच दिन में मिल जायेगा पैसा। हाँ परधान के यहाँ फ़ोन करके अम्मा से ज़रूर बतिया लिया करो कभी-कभी। जी जुड़ा जाता है उनका। लेकिन ई सब बात मत करना ऊहाँ।'

'.....'

'अच्छा...खुस रहिए।'

'क पईसा हुआ... पंडिज्जी?'

'बारह रुपया।'

'अरे! हमको लगा आज लम्बा बात हो गया है।'

'हाँ बात तो लम्बा हुआ है लेकिन रेट कम हो गया है न एसटीडी का।'

'ई बढ़िया है। आटा-तेल रोजे महँगा हो रहा है और फोन-मोबाइल सस्ता। देखियेगा एक दिन लोग यही खाएँगे और यही हगेंगे...' उनकी खिचड़ी मूँछों पर एक विद्रूप भरी मुस्कुराहट आकर चली गयी।

'का कीजियेगा।' उनके द्वारा बढ़ाये गये पचास के नोट को लेते-लेते मैंने बस यों ही कहा।

पैसे गिनने के बाद वे देर तक बैठे-बैठे अख़बार पलटते रहे और फिर एकदम से उठते हुए बोले... 'और आपका धंधा बढ़िया चल रहा है ना?'

'हाँ-हाँ... सोच रहे हैं अब मोबाइल की एक एजेंसी ले ली जाये और एक ठो फ़ोटोकॉपी मशीन भी लगाने का प्लान है...बस लोन सैंक्सन होने का इंतज़ार है...देखिये।'

'बढ़िया है भईया।'

'अच्छा चौधरी साहब।'

चौधरी साहब सुनकर जैसे वे एकदम से ठिठक गये। पलटकर बीमार-सी नज़रों से देखा फिर बिलकुल धीमे कदमों से निकल गये।

दरअसल इधर क़स्बे में एक प्राइवेट कॉलेज खुल गया था। कम्प्यूटर इंस्टिट्यूटों और कोंचिग क्लासों की तो जैसे बहार ही आ गयी थी। अब हमारा ज़माना तो था नहीं कि लायब्रेरी की किताबों और अपने नोट्स के भरोसे नैया पार लग जाये। अव्वल तो लायब्रेरियाँ थीं ही नहीं और जो थीं उनमें पड़ी किताबें छात्रों से ज़्यादा दीमकों के काम आ रही थीं। ये नई तरह की किताबें इतनी महँगी थीं कि ख़रीदना सबके बस की बात नहीं रह गयी थी। दुकान वाले किराये पर किताब दे दिया करते और फिर फ़ोटोकापियाँ बँट जातीं। फिर प्रोजेक्ट, प्रेज़ेंटेशन और न जाने क्या-क्या। तो सलाह हुई थी कि एक फ़ोटोकॉपी मशीन ले ली जाये, एक कम्प्यूटर-प्रिंटर और स्कैनर सहित, साथ में एक टाइपिस्ट रखा जाये और हाँ! प्लास्टिक के मॉडल से अब काम नहीं चलता तो एक-दो कंपनियों की पूरी रेंज रखी जाये।

दिक़्क़त सिर्फ़ पैसों की थी तो हल यह निकला कि बैंक से लाख-डेढ़ लाख का लोन ले लिया जाये। लोन का नाम सुनकर मन काँपा तो एजेंट महोदय ने इलाके के सभी दुकानदारों का कच्चा चिट्ठा खोलकर रख दिया। पता

चला इस दौड़ में बस हम ही पीछे रह गये हैं। लाख-डेढ़ लाख की बात कौन करे, लोगों ने चार-चार, पाँच-पाँच लाख के कर्ज़े लाद रखे हैं। यहाँ तक कि टॉप इन टाउन रेस्टोरेण्ट भी चार लाख में बैंक के पास गिरवी पड़ा है। फिर हमने भी हिम्मत बाँधी। वर्षों से बेकार पड़ी हाईस्कूल की ज़र्द मार्कशीट की फ़ोटोकॉपियाँ कराई गयीं। दुकान के काग़ज़ात निकाले गये, कोई चालीस-पचास जगह हस्ताक्षर हुए और अंततः दो लाख का लोन पास हो गया। दस परसेंट कमीशन के गये मैनेजर साहब के पास और बाक़ी में आया एक कम्प्यूटर, लेज़र प्रिंटर, स्कैनर, फ़ोटोकॉपी मशीन, फ़र्नीचर और कुछेक मोबाइलों से सजा एक खूबसूरत रैक। सच कहूँ तो उस दिन दुकान में बैठकर ऐसा लगा जैसे किसी सजे-धजे दफ़्तर में बैठा हूँ...वो भी क्लर्क की तरह नहीं—बाहैसियत अफ़सर—आख़िरकार एक टाइपिस्ट भी तो था अपने 'अंडर' में!

धंधे का रूप ही बदल गया था। फ़ोटोकॉपी एक रुपये की, टाइप के दस रुपये पेज और मोबाइलों में भी अच्छा-खासा 'मार्जिन'। जोड़-घटा के देखा तो अंदाज लगाया कि महीने की किस्त और दो हज़ार टाइपिस्ट के देने के बाद भी बारह-पंद्रह तो बच ही जायेंगे।

शुरू में यह गणित लागू होता दिखा भी। लेकिन साल बीतते-बीतते समीकरण बदलने लगे। देखते-देखते आस-पास फ़ोटोकॉपी और टाइपिंग की तीन और दुकानें खुल गयीं। रेट आधे भी नहीं रह गये और क़स्बे में मोबाइल की एक बड़ी दुकान खुल गयी, जिसमें हर कंपनी की पूरी रेंज थी—वह भी हम से कम दामों में। वहाँ संगीत भी था और पैण्ट-शर्ट पहने खूबसूरत लड़कियाँ भी। जो मोबाइल हम लाते वहाँ पहले ही 'ओल्डफ़ैशंड' हो चुके होते। हमारी 'एसेसरीज़' अब 'डाउनमार्केट' थीं और 'बाऊचरों' का हाल यह था कि दस-दस, पाँच-पाँच रुपयों के कार्ड मिलने लगे थे और कमीशन घटकर पैसों में आ गया था। कुछ नहीं घटी थी तो बस बैंक की क़िस्त!

समझ में नहीं आ रहा था कि क्या करूँ। अगर यह सब बेचने की सोचता तो बाज़ार में इसकी कीमत अब तीस-पैंतीस हज़ार से ज़्यादा की नहीं थी और डेढ़ लाख से ऊपर का लोन अभी सिर पर था ही। हाँ! दुकान की क़ीमत ज़रूर कई गुनी हो चुकी थी। लेकिन अगर दुकान बेच दी तो अब इस उम्र में करूँगा क्या। और दुकान भी अपनी कहाँ थी, वो तो गिरवी पड़ी थी

बैंक के पास। पत्नी के कुछ गहने बेच दूँ तो? साठ-सत्तर हज़ार रुपये तो मिल ही जायेंगे। दो-एक साल तो कट जायेंगे, तब तक शायद हालात कुछ सुधर जायें। पर यह 'शायद' ही तो गले की फाँस है। बच्चों की पढ़ाई-लिखाई...फिर शादी...कैसे होगा ये सब? चिंता के मारे सिर चकरा रहा था। आज पच्चीस हो गयी...पंद्रह दिन बाद क़िस्त देनी होगी...टाइपिस्ट की तनख़्वाह...मशीन का 'मेण्टेनेंस'...कुछ समझ में नहीं आया तो एक सिगरेट सुलगा ली। अभी एक-दो कश ही लिए थे कि सामने से वे आते दिखाई दिये। उसी मुड़े-तुड़े काग़ज़ को आगे बढ़ाते हुए चुपचाप स्टूल पर बैठ गये। मूँछें तो वैसी ही थीं लेकिन खिचड़ी दाढ़ी के बीच मुर्झाई-सी लग रही थीं।

'हलो'

'......'

'खुस रहऽ बबुआ।'

'......'

'का हालचाल बतायें बेटा। कुछ समझ में नहीं आ रहा है।'

'......'

'हम का करते बेटा। हमने तो तुम्हारी अम्मा को बहुत मना किया था पर पता नहीं किससे लिखवा के भेज दी चिट्ठी।'

'......'

'हाँ ले गये बेटा...चलो झंझट छूटी।'

'......'

'दुख तो उसी का है बेटा...दू बीघा पहले ही चला गया था...दो और चला गया। पुरखों की ज़मीन थी...जोड़ तो पाये नहीं कुछ...का मुँह दिखायेंगे ऊपर जाकर...'

'......'

'का बारिस और का सूखा। फसल बिगड़ जाय तब तो मरना ही है और अच्छी हो तो दाम गिर जाता है। सच कहें तो अब मन ही नहीं लगता खेती में। लेकिन करें का और कुछ सीखा भी तो नहीं।'

'......'

'ठीक है बबुआ, चिंता मत करो। जान नहीं देंगे अभी। है ना अभी आठ बीघा...करेंगे मेहनत।'

'......'

'चलो आओ होली में तो बात करेंगे, हाँ दस भेज दो अगर हो सके तो।'

'......'

'अच्छा बेटा खुस रहिए।'

'केतना हुआ?'

'ग्यारह रुपया'...

यंत्रवत उनका हाथ कुर्ते की जेब में गया...'दसे ठो है...कल-परसों में आयेंगे तो दे देंगे... हथेलियों पर पसरे सिक्कों को गिनते हुए वे कातर नज़रों से मुझे देख रहे थे।

सिक्कों को बिना गिने मैंने दराज़ में डाल दिया...सिगरेट अँगुलियों से गिर पड़ी और एकबारगी मन किया कि उनके कंधों पर सिर रखकर फूट-फूटकर रो लूँ...पर वह घिसटते कदमों से दूर निकल चुके थे।

पागल है साला...

उसे पता नहीं चला कि वह कब इस जुलूस में शामिल हो गया था...

गुप्ता एण्ड संज़ के यहाँ से निकलने के बाद चाय की दुकान पर बैठकर सिगरेट सुलगाई और चाय का ऑर्डर दिया। चाय पी ही रहा था कि ज़ोर-ज़ोर से नारों की आवाज़ सुनाई दी। यों ही सड़क पर आ के देखा तो लोगों का एक हुजूम चला आ रहा था। मैले-कुचैले कपड़ों में मर्द, औरतें, बच्चे—हाथ में तख्तियाँ, हवा में लहराती मुट्ठियाँ और पसीने में डूबे गलों से निकलते गगनभेदी नारे। 'जब तक भूखा इन्सान रहेगा, दुनिया में तूफ़ान रहेगा,' 'तानाशाही नहीं चलेगी।' पता नहीं क्या हुआ कि उसने चाय टेबल पर रखी...पाँच का सिक्का थमाया और उस जुलूस में शामिल होकर एक बूढ़े से आदमी के बगल में चलने लगा। उस आदमी ने घुटनों तक धोती पहन रखी थी, आधी बाँह का कुर्ता और गले में एक गमछा। उसके चेहरे पर दो-तीन मस्से थे और खुरदुरी दाढ़ी के बीच एक गहरी मूँछ, जो उमेठ कर ऊपर की गयी थी। उसने एक बार उसकी तरफ़ ग़ौर से देखा और फिर उन नारों के बीच नमस्कार कर धीरे से कहा, 'बाबूजी...तुम आगे चले जाओ,' उसने 'यहीं ठीक है' कहकर नारों में आवाज़ मिला दी।

जुलूस आगे बढ़ता रहा। उसके नारों का स्वर और तेज़ होता गया। अब तो उसके अगल-बगल के लोग उसे और आश्चर्य से देखने लगे। जब नहीं रहा गया तो वह व्यक्ति फिर से बोला...'आप काहे इतना जोर से नारा लगा रहे हैं बाबूजी। हम लोग हैं ना। गला खराब हो जायेगा।' उसने बस रुककर इतना कहा, 'कोई बात नहीं दद्दा। आप चिंता न करें!' और नारे लगाने लगा। ज़ोर-ज़ोर से मुट्ठियाँ उछालता हुआ।

आपको भी लग रहा होगा कि एक अच्छा-भला आदमी। 30-35 हज़ार कमाने वाला। बढ़िया ब्लैकबेरी की पैंट, एलन सैली की शर्ट और उस पर टाई लगाये, कन्धे पर चमड़े का बैग लटकाये इन भुच्च देहातियों के बीच क्या कर रहा है? इसके लिये आपको थोड़ा पीछे जाना पड़ेगा। न-न-न...उसके कॉलेज के दिनों में नहीं। वहाँ कुछ ख़ास रखा भी नहीं है। एक सड़े से कॉलेज से सेकेंड डिवीज़न में बी.कॉम. फिर विश्वविद्यालय से डिप्लोमा इन बिज़नेस मैंनेजमेंट। आपकी कल्पना से उलट इंक़लाब-उंक़लाब तो छोड़िये इसे प्रेम तक ढंग से नहीं हो पाया। एक बार आशिक ज़रूर हुआ था बेचारा। लेकिन जब फ़र्स्ट ईयर में उसने टॉप किया तो बस हिम्मत हार बैठा। असल में आपको बस आठ घंटे और कुछ मिनट पीछे जाना होगा।)

मोबाइल की स्क्रीन बड़ी होती जा रही थी और नंबरों वाले सारे बटन उसके इर्द-गिर्द गोल-गोल चक्कर लगा रहे थे। बल्कि घेराबंदी-सी कर ली थी। चारों कोनों पर उन्होंने एक-एक आदमी को पकड़ रखा था। वे आदमी इतने छोटे थे कि लिलिपुट भी उनके आगे गुलीवर लगे। वे सब उनसे छूटने की भरपूर कोशिश कर रहे थे और इसी कशमकश में किसी का चश्मा नीचे गिर रहा था तो किसी की चूड़ियाँ। एक छोटी-सी खिलौने वाली कार भी इन सबके ठीक बीचोबीच गिरी पड़ी थी। उसने उन सामानीं को छूने के लिये हाथ बढ़ाया तो लाल वाले बटन ने ज़ोर से उसकी हथेली कुचल दी। और हरा वाला कान में ज़ोर-ज़ोर से रिंगटोन बजाने लगा। इतनी ज़ोर से कि उसके कान के पर्दे फटने लगे। उसने अपने कानों पर कस के हाथ जमाने चाहे। लेकिन हाथ कान तक पहुँचते ही नहीं थे। उन आदमियों ने भी अब छूटने की कोशिशें छोड़ दी थीं और निढाल होकर पड़ गये थे। लेकिन रिंगटोन थी कि बजती ही जा रही था। फिर स्क्रीन के ठीक बीचोबीच चमकदार काले सूट में एक आदमी आकर खड़ा हो गया। सारे नम्बर उसके इर्द-गिर्द मुस्तैद होकर खड़े हो गये। लेकिन वह हरा वाला उसके कानों में रिंगटोन बजाये ही जा रहा था।

बस हिचकोले खाकर रुक गयी थी। उसने मोबाइल बिना नंबर देखे कान पर लगा लिया।

'गुड मॉर्निंग सर!'

'.................'

'सॉरी सर...बस ज़रा आँख लग गई थी।'

'................'

'बस पहुँचने वाला हूँ सर। बस ख़राब हो गयी थी। अब चलने ही वाली है।'

'................'

'बात कर ली थी सर। आज पेमेंट हो जायेगी सर। अच्छा रिकॉर्ड है इनका। मैं पहुँचकर बताता हूँ सर।'

'................'

'ठीक है सर। ओके सर। जी सर...जी-जी...बिलकुल...ओके सर।'

घड़ी देखी तो तीन बज रहे थे। बस जैसे भट्ठी हो रही थी। अचानक उसे गुप्ता एण्ड संज़ के दफ़्तर में लटका वह पाप-पुण्य वाला कैलेण्डर याद आया। 'दूसरे का धन हड़पोगे तो' के आगे बना वीभत्स चित्र जिसमें ढेर सारी राक्षसियाँ एक आदमी को खौलते तेल की कड़ाही में डाल रही हैं। 'साला, माल बनाये गुप्ता और आग में भुनें हम।' एक अश्लील-सी गाली होंठों पर तैर गई। बाहर देखा तो दूर तक बस चिलचिलाती धूप थी। बीच-बीच में कुछ कच्ची-पक्की टपरियाँ। सड़क के किनारे पान-बीड़ी की एक गुमटी। चाय की दो दुकानें और बिहारी टायर वर्क्स। सड़क पर इक्का-दुक्का गाड़ियों के अलावा बस दो-चार कुत्ते। उसे सी.के. की बात याद आई...'साला जून की दोपहरी में सड़क पर बस दो ही चीज़ें दिखती हैं। पहला सेल्समैन और दूसरा कुत्ता। एक ग्राहक की तलाश में और दूसरा कुतिया की तलाश में।' सी.के.। बिना कहावत के कोई बात पूरी होती ही नहीं थी उसकी। ऐसा ज़िन्दादिल आदमी नहीं देखा सेल्स लाइन में। अचानक जैसे कोई कसक उठी गहरे। बस में चारों तरफ़ देखा तो भीतर बस औरतें और बच्चे थे। ज़्यादातर मर्द नीचे उतर कर बीड़ी-सिगरेट फूँक रहे थे और कुछ सड़क के किनारे पेशाब कर रहे थे (बतौर सी.के.—'मूत्रदान-महादान')। उसे भी सिगरेट पीने की तेज़ तलब हुई। नीचे उतरने को ही था कि मोबाइल फिर घनघना उठा।

'जी सर!'

'................'

'बस पंक्चर हो गई है।'

'................'

'सॉरी सर...नहीं, वो तो पहले ख़राब हो गई थी। पंक्चर अभी हुई है।'

'................'

'नहीं सर। झूठ नहीं बोल रहा सर।'

'................'

'बिलीव मी सर। नौ की बस से ही निकला था। अभी आधे घंटे में पहुँच जाऊँगा। वहाँ पहुँचकर पार्टी से आपकी बात कराता हूँ ना सर।'

'................'

'पी.सी.ओ. तो नहीं है सर। क्या सर। ओके सर। एक मिनट...'

उसने लाचारी से इधर-उधर देखा और फिर बगल की सीट पर बैठी लड़की को फ़ोन थमा दिया, 'प्लीज़ बात कर लीजिये एक मिनट। बॉस हैं मेरे।' लड़की ने एक पल के लिये उसे देखा और फिर मोबाइल अपने हाथ में ले लिया, 'जी हाँ यह बालाजी सर्विस की ही बस है। हाँ-हाँ नौ बजे चलती है और तीन बजे का पहुँचने का टाइम है। दो-दो बार ख़राब हुई ना, इसलिए लेट हो गयी। जी। ओके।'

'लीजिये।' उसने मुस्कुराते हुए फ़ोन उसकी तरफ़ वापस बढ़ा दिया।

'थैंक्स, असल में...' उसे ऐसा लग रहा था जैसे सारी बस उसे ही घूर रही है। लेकिन वह लड़की सहज थी।

'रिलैक्स, मैं समझ सकती हूँ। आप टेंशन मत लीजिये।'

उसने पहली बार उसे ग़ौर से देखा। कोई चौबीस-पच्चीस की उम्र, साफ़ रंग, चौड़ा माथा और सामान्य नैन-नक्श। गोद में साधारण-सा बैग और पानी की बोतल। अंदाज़ा लगाने में कोई मुश्किल नहीं हुई कि यह रोज़ अप-डाउन करने वाली कोई टीचर है, फिर भी पूछा—'आप पढ़ाती हैं?'

'जी। संविदा शिक्षक हूँ यहीं पास के गाँव में।'

'आपको झूठ बोलना पड़ा मेरी वजह से।'

वह खिलखिला कर हँसी, 'अरे भई हरिश्चन्द्र नहीं हूँ मैं। आप बेकार में इतनी टेंशन ले रहे हैं। चलता है।'

और बस भी चल पड़ी।

गुप्ता एण्ड संज़! इस इलाके का सबसे बड़ा डीलर। शहर के भीतर ही नहीं आस-पास के सौ-पचास किलोमीटर में जंगलों और पहाड़ियों के बीच बसे तमाम गाँवों और क़स्बों में माल उसी के यहाँ से सप्लाई होता था। आश्चर्य

तो इस बात पर होता था कि एक तरफ़ इस ज़िले से देशभर में सबसे ज़्यादा कुपोषण की ख़बरें आती थीं तो दूसरी तरफ़ महँगे से महँगे साबुन और शैम्पू की माँग बढ़ती ही जा रही थी। चौड़ी सड़कें, बड़े-बड़े मकान, नये-नये होटल, कम्प्यूटर इंस्टिट्यूट, एटीएम, नये से नये मॉडल की गाड़ियाँ। उसे समझ नहीं आता था कि यह कमबख़्त कुपोषण इन सबके बीच रहता कहाँ है! ख़ैर और कहीं भी हो गुप्ता एण्ड संज़ के उस एयरकंडीशंड ऑफ़िस में तो कतई नहीं था, जिसकी रिवॉल्विंग चेयर पर अपनी पिलपिली देह धँसाये सेठ भागचन्द पिछले आधे घंटे से मोबाइल पर बतियाये जा रहा था। बीच-बीच में वह जब 'हो-हो' करके हँसता तो हँसी रुकने के बाद भी देर तक उसकी तोंद धीरे-धीरे किसी स्प्रिंग की तरह काँपती रहती। उसकी कुर्सी के ठीक पीछे लक्ष्मी-गणेश की एक बड़ी-सी मूर्ति थी और उसके सामने इलैक्ट्रिक अगरबत्ती। जिससे न धुआँ निकलता था न ख़ुशबू आती थी।

'जानते हैं किसका फ़ोन था,' उसने फ़ोन टेबल पर रखते हुए कहा—'हमारे नाती का। आपके ही शहर में रहता है। स्कूल से आकर जब तक हमसे बात न कर ले खाना नहीं खाता। आधी बात तो हम समझ ही नहीं पाते। आप तो जानते हैं अंग्रेज़ी में अपन अँगूठा छाप। हो-हो-हो। पर उसके मुँह से कितना अच्छा लगता है। और बताइये कैसे आना हुआ?'

'कुछ नहीं। बस हमने कहा कि बहुत दिन से दर्शन नहीं हुए।'

'अरे तो दर्शन के लिये छह घण्टे बस में धक्का खाने की क्या ज़रूरत थी भाई। हमसे कहते, एक फ़ोटो भिजवा देते। हो-हो-हो।'

'लेकिन प्रसाद तो साक्षात् दर्शन पर ही मिलता है, मालिक।'

'हो-हो-हो, बताइये?'

'बस एक पेमेंट थी।'

'कितने की?'

'पैंसठ।'

'हूँ।' उसने एक गम्भीर साँस ली। 'इतना तो नहीं हो पायेगा अभी। ऐसा कीजिये पच्चीस ले जाइये अभी और बाक़ी अगले चक्कर में।'

'ऐसा मत कीजिये मालिक। तीन महीने पर आया हूँ। पचास तो कर ही दीजिये,' वह लगभग रिरियाते हुए बोला।

'समझा करो भाई। धंधा मंदा है इस साल। अख़बार में पढ़ा तो होगा, कैसा सूखा रहा यह साल।'

‘सूखा। पिछला सूखा बीते पूरा साल बीत चुका है,’ उसने मन-ही-मन सोचा और फिर बड़ी हिम्मत करके बोला—

‘लेकिन फ़ोन पर तो...’

‘किससे हुई थी बात?’ उसका स्वर बदल रहा था।

‘मुनीम जी से।’

‘मुनीम जीऽऽऽ...।’ वह चीख़ा और मुनीम जी आ के दरवाज़े पर खड़े हो गये।

‘आपने पेमेंट की बात की थी इनसे?’

मुनीम पचासेक वर्ष का दुबला-पतला इन्सान था। दरवाज़े पर खड़े-खड़े ही धीरे से बोला, ‘जी।’

‘कितने की?’

‘पैसों की तो बात नहीं हुई थी।’ पट्ठा सीधे-सीधे मुकर गया। उसने उसकी तरफ़ देखा तो वह बस आँखों-ही-आँखों में बोला, ‘समझा करो भाई।’

‘फिर? आप ऐसे ही बिज़नेस करते हैं,’ भागचन्द की आवाज़ तेज़ होती जा रही थी। ‘झूठ बोलकर। भागचन्द से झूठ। साला कौन-सा सोना बनाते हैं आप लोग। मैं नहीं होता तो इस जंगल में एक साबुन नहीं बिकता आपका। और मुझसे झूठ।’

‘अरे नहीं मालिक,’ वह हकलाता-सा बोला।

‘मालिक गया तेल लेने। ले जाओ अपनी पेमेंट और आगे से कभी नज़र नहीं आना। भाड़ में गया तुम्हारा साबुन। साले एक से एक ब्राण्ड हैं। सेल्समैन छह-छह महीने कभी पैसे की बात नहीं करते और तुम तीन महीने में ऐसे पगला रहे हो जैसे भागचन्द भाग जायेगा तुम्हारा पैसा ले के।’

उसके पाँव के नीचे से ज़मीन सरक रही थी। अगर सही में बिज़नेस बन्द कर दिया इसने तो। साढ़े नौ लाख की टेरेटरी हाथ से निकल जायेगी। अपनी नौकरी तो जायेगी ही मार्केट में कचरा हो जायेगा। कोई आधी तनख़्वाह में भी नहीं रखेगा। बड़ी हिम्मत करके बोला—

‘आप बेकार गुस्सा हो रहे हैं सेठ जी। आज का व्यवहार है आपसे? वो तो बॉस ज़ोर दे रहे थे वरना मैं कभी आता क्या पेमेंट के लिये?’

‘कौन है तेरा बॉस? शिंदे?’...उसने मोबाइल हाथ में ले लिया।

आसन्न संकट से उसके प्राण सूख गये...‘अरे उनको फ़ोन क्यों लगाते हैं, सुनिये।’

पर फ़ोन लग चुका था।

'क्या शिंदे, बहुत बड़े आदमी हो गये हो?'

'.................'

'पेमेंट के लिये भेज दिया इसको। वह भी आधी नहीं पूरी चाहिए। भागचन्द की मैयत उठ रही थी क्या कि पैसा डूब जाता?'

'.................'

'अच्छा! वो तो कह रहा है कि तुमने कहा था। तुम जानो-तुम्हारा काम जाने। मैंने तो फ़ैसला कर लिया है कि तुमसे धंधा ही नहीं करना अब।'

'.................'

उसने फ़ोन उसकी तरफ़ बढ़ाया...'लो।'

काँपते हाथों से उसने फ़ोन थामा—

'नहीं सर।'

'.................'

'सॉरी सर...प्लीज़। सुनिये...मैं बात करता हूँ सेठ जी से।'

'.................'

'सर, प्लीज़, सर।'

'.................'

इसी बीच उसका मोबाइल बजा। उसने देखा भी नहीं। काट दिया।

'मेरा वो मतलब नहीं था सर।'

'.................'

मोबाइल फिर बजा। उसने इस बार स्विच ऑफ़ कर दिया।

'ओके सर।'

'सेठ जी।'

'साला मुझसे भी झूठ बोलता है और अपने बॉस से भी। चलो निकलो अब यहाँ से।'

उसे पता ही नहीं चला कि उसने कब सेठ जी के पैर पकड़ लिये।

वैसे ही जैसे उसे पता नहीं चला था कि कब वह जुलूस में शामिल हो गया था।

जुलूस रुक गया था। आगे शायद कोई चौराहा था। बाईं ओर की जगह जुलूस ने ले ली थी तो बाक़ी बची आधी सड़क पर ही दोनों तरफ़ का ट्रैफ़िक आ-जा रहा था। लगभग जाम जैसी स्थिति थी। मोटरसाइकिलें, ऑटोरिक्शा, कारें,

ट्रैक्टर। सब बेतहाशा चीख़े जा रहे थे। किसी दुकान पर ऊँची आवाज़ में गाना बज रहा था। एक कारवाला ठेलेवाले से लड़ रहा था और इस सारे शोर और थकान के बीच नारों की आवाज़ कुछ कमज़ोर-सी पड़ रही थी। लेकिन वह अपने पूरे दम से चीख़े जा रहा था। पूरा शरीर पसीने से तरबतर, बाल बिखर गये थे, टाई उसने ढीली करके गरदन से लटका ली थी, शर्ट की बाँह मोड़कर ऊपर कर ली थी और चश्मे की एक कमानी कान से थोड़ा ऊपर जाकर फँस गयी थी। बगल में फँसे एक मोटरसाइकिलवाले ने पूछा—'किसलिए निकला है यह जुलूस?'

वह ऊँची मूँछोंवाला आदमी बोला—'बाबूजी, हमारी ज़मीन छिन रही है ना। वो जो परियोजना आई है। उसके लिये कहते हैं ज़मीन खाली कर दो। इसीलिए निकाला है यह जुलूस।'

'अच्छा, इन साहब की भी ज़मीन है क्या?' मोटरसाइकिलवाला मुस्कुराया।

वह हवा में हाथ उछालता हुआ चिल्लाया—'इसलिए कि कोई आपको अपने दफ़्तर में बुला के बेइज़्ज़त न कर सके। आपको किसी के पैर न पकड़ने पड़ें। कोई धक्के मार के आपको दरवाज़े से बाहर न कर सके। किसी साले का फ़ोन आने पर आपकी गांड न फट जाये। आपको अपनी बीवी का फ़ोन न काटना पड़े।' उसके होंठ के दोनों कोनों पर थूक जम गया था। 'जानते हैं सी.के. क्या कहता था—"बेचने की बीमारी हाय नींद में भी न जाये।" ज़रूरी है लड़ना कि किसी सी.के. को आत्महत्या न करनी पड़े। साला कुत्ते की ज़िन्दगी न जीनी पड़े,' वह बोलते-बोलते फूट पड़ा। पहले आँखों की कोरों से दो मोटी-मोटी धारें उमड़ीं और फिर वह बुक्का फाड़ कर रोने लगा।

मोटरसाइकिलवाले को जगह मिल गयी थी, 'पागल है साला,' बुदबुदाते हुए उसने गाड़ी आगे बढ़ा दी।

जुलूस में अब अगल-बगल के सब लोग उसी को देख रहे थे और वह शर्ट की बाँह से आँखें पोंछता हुआ सामान्य होने की कोशिश कर रहा था। उस ऊँची मूँछोंवाले आदमी ने उसके कंधे पर हाथ रखा और बोला—'अरे बाबूजी हमें तो लगा था कि आप पार्टी के आदमी हो। शहर से आये हो। लेकिन। आप?'

वह जैसे तंद्रा से जागा। 'मैं, '...उसे अचानक बन्द मोबाइल की याद आई। जल्दी से जेब से बाहर निकाला और ऑन किया। देखा, दो मिस्ड कॉल्स थीं। चेक किया तो पत्नी की थीं। फिर चार मैसेज एक के बाद एक—

'यू हैव 9 मिस्ड कॉल्स फ्रॉम जानू।'

'यू हैव 17 मिस्ड कॉल्स फ्रॉम बॉस।'

'जानिये अपना भविष्य रोज़ सुबह, कॉल्स चार्जेज़ बस 2 रुपये प्रति मिनट।'

'यू हैव ए टेक्स्ट मैसेज फ्राम जानू।'

मैसेज खोला, *'कितनी बार कॉल किया। कहाँ हो? एनी प्रॉब्लम?'*

जुलूस अभी भी वहीं ठहरा था। भीड़ बढ़ती ही जा रही थी। बच्चे माँओं की गोदियों में मचल रहे थे। कुछ ने रोना शुरू कर दिया था और दूसरे, बस रोने की तैयारी में ही कुनमुना रहे थे। कुछ ने वहीं एक तरफ़ बैठ कर बच्चों को दूध पिलाना शुरू कर दिया था। वह ऊँची मूँछों वाला खैनी मल रहा था। बाकियों में से ज़्यादातर ने बीड़ी सुलगा ली थी। कुछ जवान लड़के स्कूटी चलाती लड़कियों को इधर-उधर से नज़रें बचा कर ताड़ रहे थे और आपस में इशारे कर रहे थे। वह मोबाइल लिये-लिये थोड़ा किनारे आ गया था। आगे कुछ शोरगुल हो रहा था। उसने सुनने की कोशिश की लेकिन तभी मोबाइल बज उठा। आदतन उसने हरा बटन दबाया और कान के पास ले गया। फिर काटकर जेब में डाल लिया। अचानक जैसे कुछ याद आया। फ़ोन निकाला और नम्बर लगाया।

'हाँ बोलो।'

'................'

'सॉरी यार पार्टी के साथ मीटिंग में था। कोई ख़ास बात?'

'................'

'नहीं यार, आज तो नहीं लौट पा रहा। कल शाम तक आता हूँ। बिट्टो मस्त है ना। आ गयी स्कूल से?'

'................'

'अच्छा सोने दो उसे। अभी ट्रैफ़िक में हूँ। करता हूँ रात में फ़ोन।'

'................'

इस बीच में बॉस की एक और मिस्ड कॉल।

अचानक नारे फिर से लगने लगे थे लेकिन उनकी आवाज़ बदल गयी थी...'जो हमसे टकरायेगा-चूर चूर हो जायेगा...'

लेकिन इसके आगे जो कुछ हुआ वह न तो उसने देखा न सुना। वह किसी

और दुनिया में चला गया था। सगाई के बाद की दुनिया। तभी उसने पहला मोबाइल ख़रीदा था। पहला नम्बर सेव किया था, 'जानू।' दोनों घंटों बतियाते रहते। पता नहीं क्या। कितने वादे। कितने सपने। पूरी-पूरी रात बस बातें। पूरा-पूरा दिन बस सपने। वे दो महीने जैसे दो पल हो गये थे और फिर दो युग। वह पति बनने से पहले प्रेमी होने के सारे दुख झेल लेना चाहता था। वह औरत बनने से पहले लड़की होने के सारे सुख। एक दिन बात के बीच में कई बार बॉस के फ़ोन आ गये तो वह रूठ गयी थी। वह कई पल जी नहीं सका। बड़ी मुश्किल से उसने फ़ोन उठाया तो बोला...'क्या करूँ जान। नौकरी है। मेरा बस चलता तो इस मोबाइल से सिर्फ़ तीन लोगों को फ़ोन करता। सुबह बाबूजी को और तुमको। दोपहर में तुमको। रात में अम्मा को और तुमको।'... फिर वह खिलखिलाई तो ऐसा लगा कि कोई सतरंगा चाँद बिखरकर हवा में घुल गया हो। कोई संगीत नस-नस में तैर गया हो। शादी की रात। हनीमून। उसे याद आया था कि कैसे मदहोशी के आलम में उसने मोबाइल ज़मीन पर फेंक दिया था। और देर तक वह मदहोश-सी आवाज़ में बुदबुदाती रही थी, 'इस वक़्त नहीं। कोई नहीं। इस वक़्त नहीं!'...लेकिन मोबाइल के फटने की इतनी तेज़ आवाज़। इतनी रोशनी। इतना गहरा अँधेरा। इतनी नींद। इतना...

होश आया तो वह बिस्तर पर था। सिर पर पट्टी बँधी थी और पूरा शरीर दर्द से टूट रहा था। देखा सामने से मुनीम जी चले आ रहे थे। नज़रें मिलीं तो मुस्कुराये—'कल आप भीड़ में फँस गये थे। लाठीचार्ज में। सर पर चोट आई और बेहोश पड़े थे। वो तो संयोग अच्छा था कि मैं लौट रहा था और मेरी नज़र आप पर पड़ गयी। डॉक्टर कह रहा था कि चोट गहरी नहीं है। सदमे से बेहोश हो गये थे।'

'ओह!'...उसने उठने की कोशिश की।

'अरे लेटे रहिये भाई। आप भी यार। इतने दिनों से इस लाइन में हैं और ज़रा-सी बात से घबरा गये। आपके साबुन की इतनी माँग है। काम चलेगा उनका उसके बिना? सेठ जी से मैं बात करूँगा। आप आराम करिये। घर फ़ोन करना है?' मुनीम ने पास की कुर्सी पर बैठते हुए कहा।

उसे जैसे कुछ याद आया, 'मेरा मोबाइल?'

'वहीं गिरा था। कुचल गया है बुरी तरह से। मैंने सिम निकाल ली है। घर पर ख़बर करनी है तो आप मेरे फ़ोन से कर लीजिये।'

'नहीं ठीक है।'

उसने लम्बी साँस ली। फिर उठकर खिड़की से देखा। सड़क पर जुलूस के कोई निशान नहीं बचे थे। एक पुराना-सा लैम्पपोस्ट धुँधली रौशनी बिखेर रहा था। डिवाइडर के दोनों तरफ़ इक्का-दुक्का गाड़ियाँ आ-जा रही थीं। कुछ कुत्ते आपस में लड़ रहे थे। सारी दुकानों के शटर गिरे हुए थे। एक गहरी ख़ामोशी। बीचोबीच खड़े पेड़ पर पड़ती चाँदनी से सड़क पर तमाम आकृतियाँ उभर रही थीं। उसने ग़ौर से देखने की कोशिश की तो तमाम चेहरे गुत्थमगुत्था होने लगे। सी.के.। बॉस। भागचन्द। और फिर वह मूँछों वाला आदमी।

उसने घबराकर तकिये पर सिर टिका लिया और शून्य में देखने लगा।

और कितने यौवन चाहिए ययाति?

इतनी मार! ऐसा अत्याचार! जैसे किसी बनैले सुअर का शिकार कर रहे हों। और गालियाँ...सिगड़ी के कोयले-सी धधकती आँखों से टपकती नफ़रत। काले नाग-सी फुँफकारती बेल्टों की सपाट बक्कल से निकलकर तीनों शेरों ने जैसे एक साथ हमला कर दिया हो (अचानक से 'लोकतंत्र के चौथे शेर' की याद आई थी कि ठीक उसी वक़्त माथे के पिछले हिस्से पर ज़ोर से बक्कल की चोट लगी और फिर उसके बाद कुछ याद नहीं रहा)।

आखिर ऐसा क्या कसूर था मेरा? बस एक फ़ोटो खींचने की इतनी बड़ी सज़ा? मुझे क्या पता था कि ऐसे एन वक़्त पर वह बेर उठाने के लिए झुक जायेगी और उसकी आँखों की जगह कैमरे में...अब तक़दीर भी तो साली फूटी ही थी ना कि ठीक उसी वक़्त मोबाइल भी घनघना उठा और चोरी पकड़ी गयी। फिर उसका चीख़ना, कम्यून की बाड़ के कँटीले तारों में शर्ट का उलझना, ख़ून, पकड़ो, भागने न पाए, गद्दार, जासूस, चोर, सड़क, जीप, रिक्शा, नाली, पुलिस, मोबाइल, गद्दार, पकड़ो, साला, कमीना, थप्पड़, जूते, बेल्ट, बक्कल, शेर, ख़ून...उफ़!

~

पाँच घंटे पुराना यह क़िस्सा दरअसल पूरे आठ साल पहले शुरू हुआ था, जब गोरखपुर से 45 किलोमीटर दूर एक छोटे-से क़स्बे के राजकीय इंटर कॉलेज की आठवीं बी के क्लास-टीचर सादिक़ मियाँ के मझले बेटे अफ़ज़ल खान ने अपनी बारहवीं की जीवविज्ञान की 'सफ' कॉपी के आखिरी पन्ने पर अपनी पहली प्रेम कविता लिखी थी—

चाहता हूँ तुम्हें प्रेम करना

तुम्हारी झील-सी आँखों में डूब कर
पार कर लेना चाहता हूँ यंत्रणा की गहरी खाइयाँ
तुम्हारी देह की अतल गहराइयों में
चैन से सो लेना चाहता हूँ उम्र जितनी लम्बी एक रात
सारी निराशा, सारे अभाव, सारी चिंताएँ
बहा देना चाहता हूँ तुम्हारे प्रेम के आवेग में
इतना मुश्किल नहीं यह सब कुछ
पर क्या करूँ इतना गहरा दाग़ है इस कलेजे पर...

तुम्हारी एक हँसी के बरक्स हज़ार परेशान-सी छायाएँ
रुदालियों के अनंत विलाप
तुम्हारी एक छाँह के साथ
मीलों फैला दुखों का रेगिस्तान
हृदय की एक आकांक्षा के बरक्स
आत्मा की देह पर घाव हज़ार
शान्ति के उस एक पल के मुक़ाबिल
आवाज़ों और चीत्कारों के आक्षितिज बियाबान

मैं चाहता तो हूँ
हो जाना तुम्हारा शरणागत
पर अभिशप्त युग के बाशिंदे
कब पा पाते हैं
चाही हुई विश्रान्ति!

फिर जैसा कि अक्सर होता है, रात में अफ़ज़ल के सो जाने के बाद सादिक़ मियाँ
ने उनकी शर्ट और पैंट की जेबों, स्कूल के बैग और दराज़ की जाँच करने के
बाद टेबल पर पड़ी कॉपियाँ पलटीं और यह कविता पकड़ी गयी। सादिक़ मियाँ
ने सरसरी तौर पर कविता पढ़ी और फिर 'या अल्लाह' कहते हुए जो कटे पेड़
की तरह धम्म से बिस्तर पर गिरने नुमा बैठे तो अफ़ज़ल एकदम से उठ बैठा।
        सादिक़ मियाँ दोनों पंजों के बीच अपना चेहरा छुपाये लगभग सुबक रहे

थे। अफ़ज़ल की नज़र खुली हुई कॉपी पर पड़ी तो सारा माजरा समझ में आ गया। वह उठा और छिटक कर कोने में खड़ा हो गया। अब तक अम्मी भी आ चुकी थीं।...बार-बार पूछा तो सादिक़ मियाँ ने वही पन्ना आगे बढ़ा दिया। अम्मी ने उलटा-पुलटा पर उन्हें क्या समझ में आता? उनके लिए तो लिखा हुआ हर हर्फ़ एक जैसा था। सादिक़ मियाँ देर तक वैसे ही बैठे रहे...अम्मी, 'सब ठीक हो जाएगा' का धीमा-सा बेबस राग अलापती वहीं ज़मीन पर पड़ गयीं और अफ़ज़ल उसी कोने में वैसे ही खड़ा रहा। फिर अचानक सादिक़ मियाँ उठे और अफ़ज़ल की ओर देखते हुए उसकी माँ से कहा 'बेवकूफ़ अब कुछ ठीक नहीं होगा। इश्क़ हो गया है तुम्हारे साहबज़ादे को। मुदर्रिस की औलाद और बीमारी इश्क़ की। तुम्हारे मायके का यही असर होना था हमारी ज़िन्दगी पर। हम क्या-क्या उम्मीदें लगाए बैठे हैं और ये चले हैं इश्क़ लड़ाने,' अंतिम वाक्य जैसे द्रुत लय में कहा गया और इसके ख़त्म होते-होते जीवविज्ञान की वह कॉपी अफ़ज़ल के सिर पर तबले की अंतिम थाप की तरह गिरी और लगभग उसी गति से सादिक़ मियाँ कमरे से बाहर निकल गए। अम्मी कुछ देर तक सुबकती रहीं फिर दुपट्टे से आँसुओं को सहारा देती वह भी बाहर निकल गयीं। दोनों के जाने के बाद अफ़ज़ल ने पहले तो बड़ी फुर्ती से कॉपी से वह पन्ना अलग करके पैंट की जेब में ठूँस लिया फिर चैन से बैठकर सोचने लगा कि आखिर उसे इश्क़ हुआ किससे है? लेकिन ख़याल मोहल्ले की सारी लड़कियों के चेहरे पार करके ज़हीर मामू की कोठी तक पहुँच गए। वही कोठी, जिसके सबसे बाहर वाले कमरे में मामू का दफ़्तर था। वही दफ़्तर जिसमें किताबों की वह हैरतअंगेज़ दुनिया थी, जिसमें गोते लगाने वह पागलों की तरह जाया करता था...अब्बू की इजाज़त के बगैर किया जाने वाला इकलौता काम।

अब्बू ज़हीर मामू से बेइन्तिहाँ नफ़रत करते थे। वैसे भी कॉमरेड ज़हीर उल हक से इश्क़ और नफ़रत करने वालों की कोई कमी न थी। मजलिसों में उन्हें खुलेआम काफ़िर कहा जाता था तो मंचों पर उनकी एक आवाज़ पर सैकड़ों लोग मरने-मारने को तैयार हो जाते थे। दरमियाना कद, फ्रेंच कट दाढ़ी, पान से चौबीसों घंटे सुर्ख़ होंठ और आँखों पर मोटा चश्मा। मामू बोलते तो फिर अच्छे-अच्छों की बोलती बन्द हो जाती। बारह साल पहले जब उन्होंने एक ब्राह्मण लड़की से शादी की थी तो वह क़स्बे का पहला 'प्रेम विवाह'

था। अपराजिता शुक्ला, इलाहाबाद यूनिवर्सिटी की सबसे ख़ूबसूरत लड़कियों में शुमार थीं और ज़हीर वहाँ उन दिनों इन्क़लाब की अलख जगाते घूम रहे थे। छात्रसंघ के चुनाव में शहर के एम.एल.ए. और खानदानी कांग्रेसी रामायण मिश्र के प्रपौत्र को हराकर जब वह अध्यक्ष बने तो शहर की राजनीति में जैसे भूचाल आ गया...लेकिन जब उन्हीं मिश्रा जी की ममेरी नातिन से उनके इश्क़ के चर्चे फैले तब तो जैसे जान पर बन आई। ख़ैर मामू ठहरे मामू...शादी हुई...गोलियाँ चलीं...दंगे बस होते-होते रह गए...और मामू को शहर छोड़ना पड़ा। फिर जो क़स्बे में लौटे तो यहीं रह गए। हिन्दुओं की लड़की उड़ाने से ख़ुश रिश्तेदारों को जब मज़हब और दीन पर मामू के ख़यालात मालूम पड़े तो उनका भी भ्रम टूट गया। मामू अपनी किताबों, वकालत और मज़दूर आंदोलन में ऐसे डूबे कि रिश्तेदारों का उनकी ज़िन्दगी में कोई ख़ास मतलब ही नहीं रह गया।

मामू से अफ़ज़ल का रिश्ता अजीब था। मज़हब के बारे में वह उनसे एक लफ़्ज़ सुनने को तैयार नहीं था, लेकिन इसके अलावा हर विषय पर मामू का कहा अंतिम सत्य था उसके लिए। मामू और मामी के पास दुनिया के हर सवाल का जवाब था। उनकी किताबों में सारी दुनिया थी। प्रेमचन्द, अमरकांत, यशपाल, मंटो, निकोलाई आस्ट्रोवस्की, हावर्ड फास्ट, बर्तोल्त ब्रेख़्त, मार्केज, डीएच लारेंस, टॉल्सटॉय, नागार्जुन, येहूदा आमीखाई, पाश, कुमार विकल। जो मिलता वह पागलों की तरह पढ़ता चला जाता। सस्ते कागज़ों पर छपी तमाम पत्रिकाएँ, जिनमें कई बार तो कवर भी ब्लैक एंड व्हाइट होते। उनमें छपी मामी की कविताएँ पढ़ते हुए उसे लगता कि काश! कभी यहाँ मेरा नाम होता। यह कविता उन्हीं पत्रिकाओं और किताबों की मोहब्बत से जन्मी थी और बिना मामी को दिखाए वह इसे नष्ट नहीं होने दे सकता था। कहीं वह मामी से ही तो इश्क़ नहीं कर बैठा था! यह ख़याल आते ही एक गुलाबी-सी मुस्कुराहट चेहरे पर आई और फिर तुरंत ही कानों तक पहुँचे हाथों ने तौबा कर ली।

~

'तब लगता था अब्बा मुझे समझने की ज़रा भी कोशिश नहीं करते। अब सोचता हूँ कि बाप-बेटे के रिश्ते में समझने-समझाने की गुंजाइश ही कहाँ होती है? आपने फ्रेंजन की *करेक्शन* पढ़ी है? इतने खुले दिमाग वाला अल भी कितना

समझ पाया अपने बच्चों को और उसके बच्चे भी कहाँ समझ पाए उसे। और समझा तो क्या ही पाते वे, ख़ैर एक-दूसरे को। खूँटों से बँधे जानवर लड़ाई में सिर्फ़ अपना नुक़सान करते हैं। तो अब्बा ने ब्लडप्रेशर की बीमारी पाल ली और मैंने घर छोड़ दिया।'

~

'पागल हो गया था लड़का। चौबीसों घंटे खुराफ़ात। न आज का होश, न कल का ख़याल। पता नहीं कौन-सा नशा था। किताबें हमने भी पढ़ी हैं...लेकिन किताब के फ़ॉर्मूले ज़िन्दगी में नहीं चलते। चाँद में बैठी अम्मा के हाथ का काता कपड़ा पहना है किसी ने आज तक? लेकिन इनके पाँव तो थे ही नहीं ज़मीन पर। जहन्नुम मिले इस ज़हीर और बाभनी को। अपने खानदान की नैया डुबो कर चैन नहीं मिला तो मेरे बेटे के ही पीछे पड़ गए। ठीक है। ज़हीर ने जो किया, सो किया। पर पढ़ाई तो ढंग से की। बाप की जायदाद है, अच्छी प्रैक्टिस है, दिल्ली तक पहुँच है तो उनका कोई क्या कर लेगा? लेकिन ये जनाब...बारहवीं में चौहत्तर फ़ीसदी नम्बर लाने के बावजूद जा के गोरखपुर यूनिवर्सिटी में बी.ए. में नाम लिखा आये...क्या सब्जेक्ट लिए हैं—इतिहास, दर्शन और हिन्दी! फ़िलासफ़र बनने का शौक चर्राया है। चार-चार आने की सड़ी हुईं पत्रिकाओं में छपकर ख़ुद को कवि समझने लगे हैं। जब सारी दुनिया इंजीनियर, डॉक्टर, एम.बी.ए. और न जाने क्या-क्या बनने पर लगी है तो ये न जाने कौन-से सपने पाले बैठे हैं...पहले लगा था कि इश्क़-विश्क का चक्कर है, लेकिन ये जनाब तो इससे भी आगे निकल गए हैं। कहते हैं, "दुनिया बदल डालेंगे।" इनके बदलने से बदल जायेगी दुनिया...बड़े-बड़े तो थक-हार के बैठ गए, अब ये चले हैं दुनिया बदलने! कौन समझाए इन्हें कि दुनिया ऐसे ही चलती रहती है अपनी चाल से। कितने हो-हल्ले मचे लेकिन हुआ कुछ नहीं। ज़मींदारी चली गयी कागज़ों से पर खेत पर काबिज़ ज़मींदार रहे। जाति-पाति मिट गयी कागज़ पर लेकिन बाभन बाभन रहा और मेहतर मेहतर। संविधान में लिख दिया गया—'सेकुलरिज़्म' लेकिन ज़मीन पर दंगे होते रहे मुसलसल। कितना लड़े ज़हीर साहब शुगर फैक्ट्री के मज़दूरों के लिए, पर हुआ क्या? दिल्ली-लखनऊ के एक क़लम के आगे सब बेबस...देखते-देखते वीरान हो गयी फ़ैक्ट्री। इस दुनिया में क़ामयाब वही है

जिसने अपने लिए एक महफ़ूज़ कोना खोज लिया। लड़ने वाले सिर्फ़ इतिहास की किताबों में इज़्ज़त पाते हैं, ज़िन्दगी तो समझौतों से चलती है। बीस साल से हिन्दुओं के कॉलेज में पढ़ा रहा हूँ...सरकारी है तो क्या हुआ...मेरे और सलीम मेहतर के अलावा एक कर्मचारी नहीं रहा कभी मुसलमान। दाँतों के बीच में जीभ-सा रहता हुआ, मैं जानता हूँ हक़ीक़त इस मुल्क की। सोचा था कि पढ़- लिखकर एक लड़का किसी ढंग की नौकरी में आ जाएगा तो ज़िन्दगी चैन से गुज़र जायेगी। एक तो किसी मुसलमान के लिए नौकरी वैसे भी मुश्किल है और ऊपर से इसके ऐसे लक्षण...पता नहीं क्या होगा इसका! सुनता भी तो नहीं...थोड़ी सख़्ती की कोशिश की तो घर ही छोड़ दिया। पता नहीं कैसे रहता होगा बिना पैसों के। अल्लाह अक्ल दे इस नादान को। वह कमबख़्त तो अब तेरे वजूद से भी इनकार करता है। लेकिन तू तो परवरदिगार है मालिक...अब तेरे करम का ही भरोसा है वरना तो कहीं कोई उम्मीद नज़र नहीं आती...'

~

'आपने उम्मीद की शक्ल देखी है?'

उन दिनों हमें वह बिलकुल सी.पी. की आँखों जैसी लगती थी।

अजीब से दिन थे। चौबीस घंटों में छत्तीस की ऊर्जा। लगता था कि एक पल भी चुके तो इन्क़लाब सदियों दूर चला जाएगा। सी.पी. को सुनते हुए हम सारी ज़िन्दगी गुज़ार सकते थे उन दिनों। सिगरेट के धुएँ से भरे कमरों में सारी-सारी रात चलने वाली स्टडी सर्किल्स...कॉलेजों-स्कूलों के गेटों पर नुक्कड़ नाटक, भीड़ भरे चौराहों पर आम सभाएँ, परचे-पोस्टर-अख़बार... बहसें...तैयारियाँ...और क्या होती है ज़िन्दगी इसके सिवाय? आप नहीं समझेंगे यह सब...आप कहाँ मिले किसी सी.पी. से सोलह की उम्र में? हमारे लिए तो बस कम्यून ही ज़िन्दगी थी।

~

इसके आगे की कहानी न अफ़ज़ल बता पायेगा, न अब्बू। कुछ चीज़ें थोड़ी दूर से ही साफ़ दिखाई देती हैं। पहाड़ की चोटी पर खड़े होकर पहाड़ की

ऊँचाई का अंदाज़ नहीं लग सकता। भीतर से जो कम्यून लगता था, वह बाहर से देखने पर शहर के एक पुराने मोहल्ले का मकान लगता था, जिसकी मिल्कियत कभी देवयानी के पिता के पास थी और जिसके उत्तराधिकार के लिए हाईकोर्ट में मुकदमे चल रहे थे, तो बहुत दूर से देखने वालों को यह एक ऐसा अनैतिक अड्डा लगता था जिसमें लड़के-लड़कियाँ साथ रहते थे।

कुल सात कमरों वाला एक पुराना मकान, जिसके बाहर एक छोटा-सा बरामदा था और पीछे एक किचन गार्डन, जिसके चारों ओर की सात फुट ऊँची चहारदीवारी पर कँटीले तारों की तीन फेरों वाली बाड़ लगी थी। इसमें ही रहते थे अफ़ज़ल, श्रीकांत, अभय, राजेश, निहाल, रत्ना, निशिता, रंजना और अनामिका। बाहर का कमरा संगठन के दफ़्तर की तरह उपयोग में लाया जाता था। अन्दर जाते ही बाईं ओर का सबसे पहला और बड़ा कमरा सी.पी. और देवयानी के लिए था। वे जब यहाँ आते तभी उसे खोला जाता। उससे लगे दोनों कमरे लड़कियों के लिए थे। दाहिनी ओर के पहले कमरे में लायब्रेरी थी और दूसरा संगठन का स्टोर रूम। बाक़ी दोनों कमरे लड़कों के थे जिसके ठीक बाद किचन था। बीच के आँगन में एक पुरानी खाने की मेज़ थी, जिसका उपयोग खाने के लिए कम और बैठकों के लिए अधिक किया जाता था। घर का ख़र्च चलाने के लिए सभी कुछ-न-कुछ करते थे। ज़्यादातर ट्यूशन पढ़ाते।..निहाल किसी सेठ के यहाँ रोज़ दो घंटे एकाउंट्स का काम करता था, निशिता एक प्रेस के लिए कम्प्यूटर पर डिज़ाइनिंग करती थी। बस अनामिका के बारे में किसी को कुछ पक्के तौर पर मालूम नहीं था। वह शायद अनुवाद का काम करती थी...काम अक्सर रात में ही करती, तो उसके लिए सी.पी. वाला कमरा उपयोग करने की छूट थी। जब सी.पी. या देवयानी नहीं होते तो वह रात को उस कमरे में चली जाती जहाँ से देर रात तक टेपरिकॉर्डर से गानों की आवाज़ और खिड़की के शीशों से रौशनी आती रहती। रहना तो मैं भी चाहता था वहाँ, लेकिन फिर संगठन के काम से मुझे हॉस्टल में ही रहने को कहा गया। तब कितना बुरा लगा था। अब लगता है कि सच में जो होता है अच्छे के लिए ही होता है क्या? फिर यह बाकियों के साथ क्यों नहीं हुआ? कम-से-कम अफ़ज़ल के साथ तो होना ही चाहिए था।

एहसास तो मुझे पहले ही हो गया था कि अफ़ज़ल के लिए आसान नहीं वहाँ रह पाना। निहाल और निशिता के अलावा और कोई नहीं था वहाँ,

जिससे उसकी पटती हो। महीने के अंत में होने वाली बैठकों को लेकर वह जिस तरह तनाव में रहता था, मैंने कई बार उससे यह कहना चाहा कि वह हॉस्टल में आ जाए लेकिन कभी कह नहीं पाया। सी.पी. से कहने की कोशिश की तो वह बोले कि 'कम्यून के सदस्यों में सबसे ज़्यादा सुधार की ज़रूरत अफ़ज़ल में ही है। वह अपनी सामाजिक-आर्थिक पृष्ठभूमि के चलते दोहरी दिक्कतों का सामना कर रहा है। एक तरफ़ उसके परिवार की निम्नमध्यवर्गीय पृष्ठभूमि तो दूसरी तरफ़ ज़हीर उल हक जैसे संशोधनवादियों का प्रभाव उसकी सारी राजनीतिक समझदारी को प्रभावित करता है। तुम्हीं सोचो कि आखिर उसे ट्यूशन क्यों नहीं मिल पाते? क्यों वह इतनी अधिक भावुकता का शिकार है? तुम्हें याद है ना अभियान के दौरान गर्ल्स कॉलेज के गेट पर उसका व्यवहार? इसकी जड़ें उसकी मानसिक बुनावट में हैं। इससे लड़ने के लिए उसका आलोचना-आत्मालोचना के गहन और तीखे दौर से गुज़रना ज़रूरी है।' मैंने जब आशंका ज़ाहिर की कि कहीं वह टूट न जाए तो सी.पी. ने जो कहा वह सुनकर मैं भीतर तक हिल गया—'यह क्रान्ति की लड़ाई है कॉमरेड...कमज़ोरों के लिए इसमें कोई जगह नहीं।'

'कमज़ोरों के लिए कोई जगह नहीं?' इस एक वाक्य ने मुझे हफ़्तों सोने नहीं दिया। क्या हम सिर्फ़ मज़बूत लोगों की लड़ाई लड़ रहे हैं? क्या हम उस सेना की तरह हैं जहाँ घायलों को उनकी हालत पर छोड़ दिया जाता है? कमज़ोरों के हक की लड़ाई में कमज़ोरों के लिए कोई जगह नहीं! कमज़ोर तो था अफ़ज़ल। पढ़ते-पढ़ते उसकी आँखों में आँसू आ जाते, जेब में बचा आखिरी नोट भी वह किसी परेशान दोस्त पर ख़र्च कर देता, बसों में अक्सर किसी बुज़ुर्ग के लिए सीट ख़ाली कर देता, संगठन के सख़्त निर्देश के बावजूद अगर ज़हीर मामू शहर में आते तो किसी भी तरह उनसे मिल लेता और छुप-छुपाकर अम्मी से फ़ोन पर बात कर ही लेता महीने-दो महीने में।...एक आरोप तो कविता लिखने का भी था...सीधे कोई कुछ नहीं कहता, लेकिन जब पत्रिकाओं में उसकी कविताएँ छपतीं तो कुछ दिनों के लिए उसकी पैरोडियाँ कम्यून में गूँजती रहतीं...उस दिन गर्ल्स कॉलेज के गेट पर खोमचा लगाने वाले ने जब उसके भाषण के बाद अपनी दिन भर की कमाई उसे चंदे में दे दी तो उसकी आँखें भर आईं और उसने उसमें से एक दस का नोट निकालकर बाकी सारे पैसे वापस कर दिए। शाम की बैठक में सी.पी. से इस बात की शिक़ायत हुई

तो उन्होंने उसकी सार्वजनिक भर्त्सना का प्रस्ताव रखा और उसे आत्मालोचना का आदेश मिला। वह भरी आँखों से बस इतना कह पाया कि 'बहुत ग़रीब था बेचारा'...राजेश इसे आत्मालोचना मानने को तैयार नहीं था। मैंने एक दिन का समय माँगा अफ़ज़ल के लिए तो सी.पी. ने मुझे भी चुप करा दिया और फिर उसे दंड मिला—अगले पूरे हफ़्ते अभियान से बाहर रहकर कम्यून के सारे काम अकेले करने का और साथ में लायब्रेरी में उसके प्रवेश पर पाबंदी। उसी दौरान एक शाम जब बाक़ी सदस्य अभियान में मिले पैसों की गिनती करने और फिर देवयानी के नए संग्रह से कविताएँ सुनने में लगे थे तो बर्तन माँजते हुए उसने मुझसे कहा था, 'मुझे पता है संजय, मैं कमज़ोर हूँ। छोटा था तो भाई और दोस्त भी मेरा मज़ाक उड़ाते थे। मैं फ़िल्में देखते-देखते रोने लगता, क़ुरबानी के लिए लाए गए बकरे को हफ़्ते भर प्यार से पालने के बाद उसका गोश्त मेरे गले से नीचे नहीं उतरता था। सब मज़ाक उड़ाते लेकिन ज़हीर मामू कहते थे कि यह तेरे इन्सान होने का सबूत है। हो सकता है कि ज़हीर मामू भी कमज़ोर रहे हों। मैंने देखा है उन्हें अकेले में रोते हुए, जब शुगर फ़ैक्ट्री बन्द हुई थी। क्या आँसू इतने बुरे होते हैं? मैं कोशिश कर रहा हूँ। शुरुआत कर भी दी है मैंने। पिछले तीन महीनों से एक भी कविता नहीं लिखी। लेकिन सब तो मेरे वश में नहीं। क्या करूँ अगर नहीं मिलती मुझे ट्यूशन? हो सकता है, मुझे ठीक से पढ़ाना ही न आता हो। हो सकता है, मुझमें इतना आत्मविश्वास ही न हो। निहाल कहता है कि छह दिसंबर के बाद लोग अपने घर में किसी मुसलमान का प्रवेश नहीं चाहते। अनामिका इसे बकवास कहती है। वह सही कहती है। सी.पी. भी सही कहते हैं। दिक़्क़त मेरी पृष्ठभूमि में ही है। लेकिन क्या मैं ज़िम्मेदार हूँ अपनी परवरिश के लिए? पर सुधारना तो मुझे ही होगा। शायद अब तक संघर्ष से भागता रहा हूँ मैं। मुझे लगता है कि अब मुझे अपने माज़ी से दूरी बनानी होगी। चलो नहीं मिलूँगा अब मामू-मामी से। अम्मी को फ़ोन भी नहीं करूँगा। कोशिश करूँगा कि मज़बूत बन सकूँ। लेकिन यह नहीं जानता कि कभी क़ामयाब हो सकूँगा कि नहीं। जानते हो, कभी सोचता हूँ कि जब राज्यसत्ता से सीधी जंग होगी तो मैं क्या करूँगा। क्या गोली चला पाऊँगा मैं किसी इन्सान पर? अपनी तमाम नफ़रत के बावजूद कहीं मेरी अँगुलियाँ काँप तो नहीं जाएँगी। मैं सो नहीं पाता सारी-सारी रात यही सोचकर कि क्या इन्क़लाब की इस लड़ाई में मैं सच में किसी काम का नहीं। फिर सोचता हूँ

कि किसी और को नहीं मार सकता तो क्या, ख़ुद को तो मार सकता हूँ ना। पीठ पर बम बाँधे कूद जाऊँगा जहाँ सी.पी. कहेंगे।'

ठीक-ठीक याद नहीं कि मैंने क्या कहा था उस वक़्त। बहुत कुछ कहने की स्थिति में था ही नहीं मैं शायद। शायद पहली बार मेरे मन में संगठन के पूरे ढाँचे और सी.पी. को लेकर तमाम सवालात उफन रहे थे। उस रात मैं लौटकर हॉस्टल नहीं गया। सीधे नरेन दा के कमरे पर चला गया। वह बेहद लम्बी रात थी। नरेन दा की छत पर चाँद जैसे ठहर कर हमारी बातें सुन रहा था। उस उमस भरी रात में सब कुछ ठहरा हुआ था। बस नरेन दा की आवाज़ थी जो सिगरेट के धुएँ के साथ सीने के भीतर कहीं गहरे जज़्ब होती जा रही थी।

'इन्क़लाब के मानी क्या हैं? आखिर किसलिए इन्क़लाब? क्या सिर्फ़ इसलिए कि हमारे पुरखे मार्क्स ने कहा था कि इन्क़लाब होना चाहिए। तो उसके किसी सपने को पूरा करने के लिए हम इन्क़लाब की लड़ाई में लगे हैं। क्या दुनिया को बदलने का मतलब बस यही है? जो दुनिया आज है उससे बेहतर दुनिया अगर हम नहीं बना सकते तो क्या मतलब इस क़वायद का? किसके लिए यह लौह-अनुशासन? जानते हो जनता लेनिन के पीछे क्यों आई थी? क्योंकि उसे भरोसा था कि वह उसके लिए ज़ार से बेहतर ज़िन्दगी देगा। वह उनके पैरों की बेड़ियाँ काट डालेगा और उनकी ज़बान को आवाज़ बख़्शेगा। और उसने यह किया। तुमने सुना होगा तमाम लोगों से कि "इससे तो अंग्रेज़ों का शासन बेहतर था।" क्यों कहते हैं ऐसा लोग? क्योंकि उन्हें महसूस होता है कि आज हालात उस वक़्त से भी बदतर हैं। यह सिर्फ़ पुराने मालिकान के प्रति श्रद्धा से नहीं उपजा है संजय। जनता किताबें नहीं पढ़ती। उसे दर्शन की गहराइयों से मतलब नहीं। उसे तो अपनी ज़िन्दगी में बेहतरी चाहिए। और यह बेहतरी कैसे हासिल हो सकती है? कोई बुरा कारीगर कभी अच्छा घर नहीं बना सकता। बेहतर इन्सान ही बेहतर दुनिया बना सकते हैं। हम अगर बेहतर इन्सान नहीं तो हम कभी क्रांतिकारी नहीं हो सकते। यह युद्ध का मैदान नहीं समाज है संजय। यहाँ की लड़ाइयाँ युद्ध के नियमों से नहीं जीती जातीं। तुम जो अफ़ज़ल के बारे में बता रहे हो वह उसके अच्छे इन्सान होने का सबूत हैं। ज़हीर को मैं इलाहाबाद के ज़माने से जानता हूँ। उसकी राजनीति से कभी

सहमति नहीं रही लेकिन उसके अच्छे इन्सान होने में कोई शक़ नहीं। इलाहाबाद यूनिवर्सिटी के अध्यक्ष का रुतबा जानते हो तुम? अगर चाहता तो बस रामायण मिश्रा से थोड़े बेहतर सम्बन्ध रखने थे उसे और सत्ता के गलियारे खुले हुए थे उसके लिए। अपराजिता को वह समझौते में स्टेक की तरह उपयोग कर सकता था लेकिन उसने कोई समझौता नहीं किया। वह उसके लिए कोई पीली छतरी वाली लड़की नहीं थी जिसे उसने रामायण मिश्रा से बदले के लिए फँसाया हो। उसने प्रेम किया और उसके लिए बलिदान किया। लेकिन शुगर मिल वाली लड़ाई एक अच्छा इन्सान होने के बावजूद वह नहीं जीत सका। क्योंकि केवल अच्छा इन्सान होने से भी काम नहीं चलता। वह अब भी नेहरूवादी समाजवादी मॉडल पर भरोसा कर रहा था, राज्य की सदाशयता और क़ानून पर भरोसा कर रहा था। वह देख ही नहीं पाया कि नब्बे के बाद चीज़ें कैसे बदल गयी हैं और वह हारा। इस लड़ाई में जीतने के लिए सही राजनीति चाहिए और उसे लागू करने के लिए सच्चे इन्सान, जिनके सीने में इन्सानियत के लिए बेपनाह मुहब्बत हो। 'चे' को पढ़ा है ना तुमने? प्रेम को कितनी ऊँची जगह दी है उसने। उसकी बरसी पर फिदेल ने जो कहा था पढ़ना कभी। यह सब वही कह सकते हैं जिनके दिल में मुहब्बत का जज़्बा हो। जानते हो 'चे' ने क्यूबा की मुक्ति की लड़ाई का एक मेमॉयर लिखा है। उसमें एक प्रसंग आता है, जब उनके बीच का एक साथी गद्दार निकलता है और उसे मारना पड़ता है। वह युद्ध का समय था, जीवन-मरण का प्रश्न। फिर भी उस साथी के लिए 'चे' के मन में जो करुणा है, मानव मात्र के लिए फिदेल के मन में जो करुणा है वह वहाँ साफ़ दिखाई देती है। सत्ता में आने के बाद उस साथी के बच्चे और परिवार को वह सारी सुविधाएँ प्रदान की जाती हैं जिस पर एक आम क्यूबाई का हक़ है और जिस समय 'चे' लिख रहा था इस किताब को, वह बच्चा क्यूबा में एक अधिकारी बन चुका था। ब्रेख़्त कमज़ोर था क्या? फिर क्यों लिखा उसने—कमज़ोरियाँ/ तुम्हारी कोई नहीं थीं/मेरी थी एक/ मैं करता था प्यार...तनाव और संघर्ष के उस दौर में वह यह कविता लिख सकता था और हम शांतिकाल में बेहद धीमे स्तर पर चल रहे जनांदोलन में भी सहिष्णु नहीं रह पाते? कभी सोचा है क्यों?

'वह घर जिसे सी.पी. कम्यून कहता है, क्या सच में कम्यून है? ज़िम्मेदारियाँ तो बराबरी में बँट जाती हैं लेकिन क्या सच में वहाँ सबका बराबर

का हक़ है? अगर देवयानी मुकदमा हार गयी तो सबको वहाँ से निकलना होगा लेकिन अगर जीत गयी तो? मैं ज़्यादा कुछ नहीं कहूँगा लेकिन यह हमेशा ध्यान रखना कि जो बलिदान तुम कर रहे हो वह सही उद्देश्य के लिए है या नहीं। जिस समय आंदोलन में बिखराव होता है, जनता की इससे दूरी बढ़ती चली जाती है, उस समय तमाम ऐसे तत्व हावी हो जाते हैं जिनका कोई दीर्घकालीन उद्देश्य होता ही नहीं। ऐसा नहीं कि ये पहले दिन से ऐसे ही रहे हों। लेकिन समय के साथ-साथ ये विकृतियाँ बढ़ती जाती हैं और फिर एक दिन उनकी पूरी चेतना पर हावी हो जाती हैं। यह उस इन्सान की ही नहीं, राजनीति की भी कमज़ोरी होती है। दुर्भाग्य से यह ऐसा ही दौर है, संगठनों में टूट-फूट, बिखराव बढ़ता ही चला जा रहा है। हर बार एक राजनीतिक संघर्ष का हवाला दिया जाता है, दूसरा ग्रुप एक नई लाइन लेकर सामने आता है और फिर अलग हो जाता है या कर दिया जाता है। हालत यह है कि इस देश में जितने प्रदेश हैं उससे कई गुना अधिक लाइनें क्रान्ति के लिए हमारे सामने उपस्थित हैं, खाँची भर दस्तावेज़ हैं। लेकिन इन्क़लाब कहीं दूर-दूर तक नज़र नहीं आता। जनता को कुछ नहीं पता कि कौन उनकी लड़ाई लड़ रहा है, उसकी आँखों में परिवर्तन का कोई ऐसा सपना नहीं। कभी सोचा है ऐसा क्यों? क्यों हमेशा युद्ध का विरोध करने वाले हमारे संगठन युद्ध की भाषा में बात करते हैं? कभी ग़ौर से सोचना जनगीत हों, हमारी रोज़-ब-रोज़ की राजनीतिक शब्दावली, हमारी बैठकों के तरीके, संगठन में नेतृत्व की अप्रश्नेयता, यह सब किस तरह युद्ध की शब्दावली और मनोविज्ञान से संचालित होता है। जानते हो मुझे हमेशा लगता है कि हम विश्वास नहीं अविश्वास से शुरू करते हैं। किसी नए साथी के प्रति पहले तो एक नकली और अति उत्साही एप्रोच दिखाई जाती है फिर जब लगने लगता है कि अब यह हमारे बीच आ गया तो व्यक्तित्व रूपान्तरण के नाम पर उसके अपने व्यक्तित्व को पूरी तरह से ख़त्म कर एक बने-बनाए साँचे में ढालने का काम शुरू होता है। यहाँ ख़ुद में शामिल करने का मतलब ख़ुद जैसा बना लेना होता है। यह कैसी रोबोटों की फ़ौज बना रहे हैं हम? ये एक जैसा सोचने वाले नहीं हैं संजय। ये एक दिमाग के नियंत्रण से संचालित हृदयहीन लोग हैं जिन्हें जनता से, समाज से इस कदर काट दिया जाता है कि वे ख़ुद को किसी और दुनिया का वासी समझने लगते हैं। ये भीड़ भरे शहर के बीच में उगे टापू हैं जिन पर रहने वाले दुनिया को मूर्ख समझते हैं और

दुनियावाले उन्हें अजूबा। और अजूबे दुनिया नहीं बदलते संजय।

'सोचो तो कैसी होगी वह दुनिया जहाँ सब लोग एक जैसे होंगे। क्या ऐसी किसी दुनिया के लिए लड़ रहे हैं हम? क्या यही चाहते थे हमारे पुरखे? क्या यही मतलब होता है हज़ारों फूलों को खिलने देने का? मुझे ख़ून देखकर डर नहीं लगता। मैंने तो बन्दूक की ट्रिगर से ही सीखा था इन्क़लाब। लेकिन कभी-कभी सोचता हूँ इतना ख़ून क्यों है हमारे इतिहास में? इन्क़लाब के पहले की लड़ाइयाँ समझ में आती हैं। विश्वयुद्धों और उपनिवेशों के ज़माने में पुरानी सामंती सत्ताओं से लड़ते हुए युद्ध के अलावा कोई चारा नहीं था। लेकिन अपनी सत्ताएँ बनने के बाद? मैं लाशें गिनकर स्टालिन और हिटलर को एक पाँत में बिठाने वालों को गम्भीरता से नहीं लेता, लेकिन सही उद्देश्य के बाद भी अगर सत्ता को बनाए रखने और इन्क़लाब को बचाए रखने का हमारे पास भी यही एक रास्ता है तो इतिहास हमें हत्यारों से कैसे अलग करेगा? कैसे हमारे शासक भी इतने हृदयहीन बन जाते हैं? इसकी जड़ें कहाँ हैं संजय? सोचना। मैं भी सोच रहा हूँ बरसों से। कोई जवाब मिल गया है यह तो नहीं कह सकता, लेकिन इतना ज़रूर है कि सवाल अब साफ़ हो रहे हैं। ''सोचना'' संगठन के अनुशासन का उल्लंघन नहीं हो सकता कभी। जिनके पास अपने सवाल उठाने की हिम्मत नहीं वे इन्क़लाब की किसी लड़ाई के सिपाही नहीं हो सकते कभी।' और फिर अचानक वह ठहाका लगाकर हँसे, 'देखा तुमने, यह युद्ध की शब्दावली किस तरह हमारी भाषा का हिस्सा बन गयी है। बुश जब कहता है कि हमारे साथ या हमारे ख़िलाफ़ तो हम उसे फ़ासीवादी कहते हैं। और बड़ी शान से पोस्टर लगाते हैं अपने कमरे में कि ''बीच का कोई रास्ता नहीं होता।'' काले और सफ़ेद के बीच एक लम्बा और बेहद उर्वर धूसर मैदान है संजय। हम उसे बंजर क्यों बनाना चाहते हैं?'

रात के तीन पहर बीत चुके थे। चाँद की थकान साफ़ झलक रही थी और उसकी जगह लेने आ रहे सूरज की धीमी आहट सुनाई दे रही थी। छत की कमज़ोर रेलिंगों के सहारे सिर टिकाये नरेन दा के मोटे चश्मे के पीछे की बन्द आँखों से जैसे परावर्तित होकर प्रकाश पूरी छत पर फैल रहा था। उनकी लम्बी पतली अँगुलियों में फँसी सिगरेट के आधे राख और आधे साबुत हिस्से के बीच एक चिंगारी कसमसा रही थी। थोड़ी देर पहले भरा गिलास अब तक

उतना ही भरा था और उस शराब में चाँद का एक छोटा-सा अक्स झिलमिला रहा था। अचानक मुझे लगा कि रौशनी के कितने रूप हो सकते हैं। सब सूरज हो जाएँ, ज़रूरी तो नहीं। लेकिन सिर्फ़ इसलिए कि इनमें सूरज जितनी आग नहीं है, क्या हम इन्हें रौशनी कहेंगे ही नहीं? मैंने धीमे से उनकी अँगुलियों से सिगरेट ली। राख को ज़मीन पर झाड़ कर एक गहरा कश लिया तो वह छोटी-सी रौशनी मेरे सीने में झिलमिला उठी। वह गिलास उठाकर हलक से उतारा तो जैसे चाँद मेरी नसों में उतर गया।

~

उस दिन रविवार था। निशिता के आने का दिन। उसके प्रेस से थोड़ी दूरी पर सुकांत का कमरा था। पिछले चार महीनों से रविवार की शाम दो घंटे वह हमारा कमरा हो जाता था। कम्यून से बिना बताए कहीं जाने की इजाज़त नहीं थी। उसने सबको बता रखा था कि प्रेस रविवार को भी खुला रहता है और इस झूठ के सहारे हमारे प्रेम को यह अबाध स्पेस मिलता था। ऐसा नहीं कि हमारा प्रेम छुपा हुआ था। संगठन में सब जानते थे। नियमों के अनुसार हमने एक-दूसरे की रज़ामंदी के बाद सी.पी. को रिपोर्ट कर दिया था। सी.पी. ने आगे बढ़कर मुझे गले लगाया था और निशिता से गर्मजोशी से हाथ मिलाया था। यह वही दौर था जब कम्यून की योजना बन रही थी। इस योजना में सबसे पहले मेरा नाम था लेकिन जब कम्यून की बाबत अंतिम बैठक हुई तो प्रस्ताव में मेरा नाम कहीं नहीं था। उस समय न जाने क्यों मुझे कुछ दिन पहले सी.पी. का कहा वह वाक्य याद आया—'प्रेम मनुष्य के जीवन की एक बेहद महत्त्वपूर्ण घटना है संजय। लेकिन एक क्रांतिकारी के लिए सबसे महत्त्वपूर्ण है उसका लक्ष्य। इसलिए वह किसी रिश्ते को इस लक्ष्य के रास्ते की बाधा नहीं बनने दे सकता। उसे प्रेम भी डिटैच होकर ही करना चाहिए।'

ठीक पाँच बजे निशिता आई। उसके साथ शाम की नर्माहट भी कमरे के भीतर आ गयी थी। हम सुबह साथ थे एक अभियान में, लेकिन इस समय वह दूसरी निशिता थी जिसकी आँखों में आग नहीं एक नरम-सी चिंगारी थी। जिसके हाथ हवा में मुट्ठियों के सहारे नहीं लहरा रहे थे मेरी गर्दन के चारों ओर लिपटे थे किसी नरम लता की तरह। जिसके होंठों पर नारे नहीं

एक नर्म लालसा थी प्रेम की, जो मेरे होंठों की नर्म प्यास से मिलकर एक मौन संगीत में तब्दील हो गयी थी। वह संगीत उस कमरे में चारो ओर पसर गया। किताबों के बेतरतीब ढेर में, सिगरेट की अनगिन ठूठों से भरे ऐश-ट्रे में, कुर्सी पर लदे कपड़ों की गुम्साइन गंध में, दीवार पर लगी तस्वीर में मधुबाला की मुस्कुराहट में, टेबल फ़ैन से बिखरती हवा में। पुरानी-सी चद्दर से ढँका वह बिस्तर पियानो बन गया था और हमारी देह बीथोवेन। उस दिन बीथोवेन जैसे राग मालकौंस बजा रहा था। किसी नौसिखिए तबलावादक की तरह हम उसका पीछा कर रहे थे। ज्यों ही संगत मिली उसने छोटा ख़याल गाना शुरू कर दिया। वह द्रुत स्वर में गाये जा रहा था और हम उसका साथ निभाने के लिए जूझ रहे थे। वह हमसे आगे निकलता जा रहा था और हम उसका पीछा नहीं कर पा रहे थे। हम उसका पीछा करना ही नहीं चाहते थे। हम चाहते थे उस पल कि वह सबसे आगे निकल जाए। हमारी चेतना से, हमारे वजूद से, हमारी परेशानियों से, हमारी चिंताओं से। सबसे आगे। सबसे दूर।

घड़ी देखी तो पौने छह बज गए थे। उसने कपड़े पहने और दीवार पर लगे छोटे से शीशे में बालों को सुलझाने लगी। मैंने गैस स्टोव पर चाय चढ़ा दी।

'तुम्हें पता है आज दुकान पर अपराजिता जी आई थीं।'

'अच्छा।'

'प्रेस क्लब में उनका और देवयानी का काव्य पाठ था। वहीं से देवयानी उन्हें दुकान पर ले आई थी।'

'ओह।'

'अफ़ज़ल भी था वहाँ।'

'अच्छा!'

'जानते हो, जब देवयानी जी ने उसे अपने नए संकलन की कॉपी देनी चाही तो उसने क्या किया?'

'क्या?'

'वह बिफर पड़ा। बोलने लगा—यह संशोधनवादी बकवास अपने पास रखिये। ये कविताएँ नहीं हैं, ये सत्ता की चाकरी में लिखी गयी छिछोरी बकवास है। एक जनविरोधी प्रलाप—और उसने किताब फेंक दी। अपराजिता जी को तो जैसे काटो तो ख़ून नहीं। देवयानी ने भी कुछ नहीं कहा। सब चुपचाप बैठे

रहे। बेचारी भरी आँखें लिए वापस लौट गयीं।'

'अरे!' मैं जैसे नींद से जागा। 'अफ़ज़ल ऐसा कैसे कर सकता है? वह तो कितना चाहता है अपने मामू–मामी को। उसने ऐसा कैसे किया निशिता।'

'वह बहुत बदल गया है संजय। बिलकुल राजेश के नक्शेक़दम पर चल रहा है। मुझे डर लगता है उससे इन दिनों। तुम एक बार बात करो उससे। बहुत अकेला हो गया है वह। किसी से भी बात नहीं करता। निहाल से दूर–दूर रहता है। मुझसे भी। इन दिनों बस अनामिका और राजेश से बातें करता है। उनकी हाँ में हाँ मिलाता है। लिखना–पढ़ना सब बन्द है उसका। मुझे सच में डर लग रहा है संजय। हम जैसे सामान्य लोग रह ही नहीं गए हैं। कम्यून के भीतर तनाव, शक़, षड्यंत्र ऐसे पनपने लगे हैं कि वहाँ एक अजीब–सी घुटन होने लगी है। सब एक–दूसरे की जासूसी करते हैं। एक कृत्रिम मुस्कुराहट ओढ़े हम एक–दूसरे की गलतियाँ ढूँढ़ने में लगे रहते हैं कि सप्ताहांत की रिव्यू बैठक में उन्हें कठघरे में खड़ा कर सकें। कभी–कभी लगता है कि भाग जाऊँ वहाँ से। माँ की बहुत याद आती है इन दिनों। फिर लगता है कि कहीं मैं ही तो कमज़ोर नहीं। तुम्हारे अलावा कोई नहीं जिससे कह सकूँ यह सब। इधर कुछ दिनों से अनामिका तुम्हें लेकर पता नहीं क्या–क्या कहती रहती है। कहीं ये लोग हमें भी तो'...उसका गला रुँध रहा था।

मैंने आगे बढ़कर उसके माथे को चूम लिया, 'कुछ नहीं होगा। तुम निश्चिन्त रहो। मैं सी.पी. से बात करूँगा।'

निशिता का यह रूप मुझे भीतर तक हिला गया। मज़बूती के ये कैसे मानदंड हैं जिनके आगे हर कोई अपने को कमज़ोर महसूस कर रहा है? उसके जाने के बाद मैं देर तक सोचता रहा। परिवर्तन तो मैं भी बहुत देख रहा था अफ़ज़ल में और दूसरे साथियों में भी। लेकिन मामी वाली घटना पर तो जैसे विश्वास ही नहीं हुआ। तो क्या नरेन दा की बात सच हो रही है? हम सब धीरे–धीरे एक रोबोट में बदल रहे हैं।

उस रात मैंने एक भयावह सपना देखा।

सबसे आगे सी.पी. है। उसके ठीक पीछे राजेश, फिर अफ़ज़ल, श्रीकांत, अभय, राजेश, मैं, निहाल, रत्ना, निशिता, रंजना और अनामिका। उसके पीछे और भी तमाम साथी हैं। दूर–दराज के गाँवों, फ़ैक्ट्रियों और दफ़्तरों में काम करने वाले साथी। सी.पी. अपनी जगह पर क़दमताल कर रहा है। उसके पैरों के साथ हम

सारे क़दम मिला रहे हैं। धीरे-धीरे हम सबके पैर लोहे के होते जाते हैं, चमकते फास्फोरस की तरह फिर कमर, पेट, सीना, गला और अंत में हमारे चेहरे भी। अब किसी को पहचान पाना मुश्किल है। सी.पी. के साथ हमारे कदमों की गति बढ़ती चली जाती है। फिर सी.पी. अचानक सामने एक कुर्सी पर बैठ जाता है, उसके ठीक बगल में देवयानी। दोनों एक दूसरे को देख कर मुस्कुराते हैं। सी.पी. की भारी आवाज़ गूँजती है—'नम्बर एक आगे आओ।' नम्बर एक आगे आ जाता है। सी.पी. कहता है। 'हँस के दिखाओ।' वह चुपचाप क़दमताल करने लगता है। फिर सी.पी. की आवाज़—'अब रोओ।' वह क़दमताल और तेज़ कर देता है। एक-एक कर सारे आगे आते हैं। किसी को क़दमताल के अलावा और कुछ नहीं आता। वह हँसते-हँसते ठहाके लगाने लगता है—'गुड। अब सब तैयार हैं इन्क़लाब के लिए। कमज़ोर भावनाओं को पूरी तरह ख़त्म कर दिया गया है। इस लड़ाई में कोई जगह नहीं कमज़ोरों के लिए। सारे रिश्ते-नाते भूल जाओ। जाओ। अब सारे बिखर जाओ दुनिया भर में। कॉलेजों में, स्कूलों में, फ़ैक्ट्रियों में, दफ़्तरों में। अपने जैसे इन्क़लाबी तैयार करो। इन्क़लाब ज़िन्दाबाद।' देवयानी भी साथ में ठहाके लगा रही है। हँसी की आवाज़ तेज़ और तेज़ होती जाती है। तभी पता नहीं कहाँ से सामने ज़हीर मामू और नरेन दा आ जाते हैं। वे सी.पी. से कुछ कहना चाहते हैं। सी.पी. उन्हें देखकर मुस्कुराता है और फिर अचानक हुक्म देता है, 'नम्बर दो आगे आओ।' नम्बर दो आगे आता है। 'इस संशोधनवादी को मार डालो।' नम्बर दो एक तेज़ धारवाला चाकू निकाल कर ज़हीर मामू के सीने में उतार देता है। चारों तरफ़ बस ख़ून ही ख़ून। वह ज़हीर मामू की लाश पर पाँव रखता हुआ लौट आता है। फिर से हुक्म आता है, 'नम्बर छह आगे आओ।' नम्बर छह आगे आता है। 'इस गद्दार को मार डालो। इसे पार्टी से निकाला गया था। यह ट्राटस्की की औलाद है। गद्दार है। इसे मरना ही होगा।' नम्बर छह भी एक चाकू निकालता है। नरेन दा उसकी ओर देखकर मुस्कुराते हैं। उसके चेहरे का लोहा गलने लगता है। 'अरे यह तो मेरी शक्ल है,' मैं चाकू फेंककर नरेन दा की ओर दौड़ता हूँ, लेकिन सारे मिलकर मुझे पकड़ लेते हैं। देवयानी ज़ोर-ज़ोर से नारे लगा रही है—'इन्क़लाब ज़िन्दाबाद।' मैं चीख़ रहा हूँ। सब मिलकर मेरे ऊपर चाकू से हमला कर देते हैं। उनकी शक्लें बदलने लगती हैं। हिटलर, स्टालिन, चाऊसेस्कू, सुहार्तो, ख़ुमैनी, बुश, फूजीमोरी, जिया उल हक...

मैंने फ़ैसला कर लिया था। अब सी.पी. से बात करनी ही होगी। लेकिन उसके पहले मैं अफ़ज़ल से बात करना चाहता था। विश्वविद्यालय में मिलना मुमकिन नहीं था, क्योंकि कक्षाएँ वह अटेण्ड नहीं कर रहा था और कभी-कभार जब आता तो उसके साथ अनामिका या राजेश होते। निहाल से मैंने एकाध बार उसे सन्देश भेजने की कोशिश की लेकिन वह नहीं आया। ज़हीर मामू भी बेहद परेशान थे। उन्होंने सी.पी. से भी बात करने की कोशिश की थी लेकिन उन्हें जवाब भिजवा दिया गया था कि अफ़ज़ल उनसे मिलना नहीं चाहता। इधर कई बार अलग-अलग बहानों से मैं कम्यून भी गया लेकिन औपचारिक सलाम-दुआ के अलावा और कोई बात नहीं हो सकी। इस नए अफ़ज़ल को पहचान पाना भी मुश्किल हो रहा था। न केवल इसलिए कि उसने दाढ़ी बढ़ा ली थी, सिगरेट अब लगातार पीने लगा था, आँखों पर चश्मा चढ़ गया था, बल्कि इसलिए भी कि अब वह न तो पहले की तरह मुस्कुराता था, न हँसता और न ही अपनी किसी नई कविता को सुनाने के लिए छत पर चलने की ज़िद करता था, उसके चेहरे पर जो पथरीले भाव आकर ठहर गए थे वे मेरे लिए बिलकुल नए थे। उसके बोलने में, उसके चलने में, उसके मुस्कुराने में, यहाँ तक कि हाथ मिलाने में भी एक अजीब-सी यांत्रिकता आ गयी थी। सामने पड़ने पर पहले वह 'संजय' कहकर गले लग जाता था...लेकिन अब वह 'कैसे हैं साथी' कहकर अजीब तरीके से मुस्कुराता और फिर हॉस्टल की कार्यवाहियों के बारे में बात करने लगता। बात भी ऐसे कि कई बार लगता वह कुछ सुन ही नहीं रहा है। एकाध बार मैंने उससे उस दिन की घटना पर बात करने की कोशिश की तो वह टाल गया। उससे बात हो पाने की अब कोई सूरत नज़र नहीं आ रही थी। मैंने उसे पत्र लिखने का फ़ैसला किया और सी.पी. से बात करने के लिए अर्ज़ी लगा दी।

अर्ज़ी लगाए पूरे बीस दिन हो गये थे। पहले राजेश ने बताया कि वे शहर के बाहर हैं। फिर जब उनके लौटने की ख़बर मिली तो देवयानी ने बताया कि वह किसी दस्तावेज़ के सिलसिले में आये हैं और व्यस्तता के कारण मिलना संभव नहीं होगा। फिर बताया गया कि उनके गले में कुछ समस्या है तो बात करना संभव नहीं। लेकिन इस बार तो सीधे मना कर दिया। सी.पी. अभी किसी से बात नहीं करना चाहते। जो देना है लिखित में दे दो या फिर उन्हें जब इच्छा होगी तो सूचना दे दी जायेगी...

सात सालों में ऐसा पहली बार हुआ था।

और अब तो न जाने कितने साल गुज़र गए। उस दिन बेहद उदास था। डायरी पलटता हूँ तो यह लिखा मिलता है...

सात साल...कहने में दो-दो अक्षरों के दो शब्द और जीने में एक पूरा युग। बाबूजी के साथ झोले में थोड़े से बर्तन और दूसरा सामान, घर के इकलौते हैंडबैग में दो-तीन जोड़ी कपड़े और किताबें लिए इस शहर में पहली बार आया था तो जैसे हर चीज़ अजनबी-सी लगती थी। गाँव से निकलकर जब बस क़स्बे को पार करती हुई इस महानगर में घुसी तो काँच के पार ऊँची-ऊँची इमारतें, जगमगाती दुकानें, आलीशान मोटर कारें जैसे आँखों में समा ही नहीं रही थीं। शायद आज के लड़के तो उस मंज़र को समझ ही नहीं पाएँगे। अब तो टी. वी. पर इतना कुछ देख लेता है इन्सान कि शहर तो क्या हिमालय को भी देख के लगे कि कहीं देखा हुआ है। पर सात साल पहले! गाँव से दो कोस दूर के इंटर कॉलेज में पढ़ते हुए इस दुनिया के बारे में बस सुना था केमिस्ट्री मास्साब से। घर से कॉलेज...कॉलेज से घर। बस इतनी-सी थी दुनिया। अम्मा रात को बालू से मांज-मांज के लैम्प का शीशा चमकाती हुई गातीं...'बबुआ पढ़िहें त बनिहें कलट्टर त जियरा जुड़इहें हो...कटिहें करज क फंदा कि बबुआ विलायत जइहें हो...' बाबूजी सुबह सूरज उगने से पहले उठकर गाय-भैंस का सानी-पानी करते फिर साइकिल पर लादकर पास के क़स्बे में बेचने जाते, दिन भर खेतों में खटते लेकिन तमाम परेशानियों और गाँववालों के तानों के बावजूद मुझे कभी हल पर हाथ नहीं रखने देते थे। दसवीं के रिज़ल्ट के बाद केमिस्ट्री मास्साब के कहे को मन्त्र की तरह गाँठ बाँध लिया था उन्होंने, 'रामचरित, बहुत होनहार है तुम्हारा बेटा। इसे खूब पढ़ाना। नाम करेगा तुम्हारा। हल नहीं कलम चलाने के लिए जन्म हुआ है इसका।' इंटर में जब पूरे प्रदेश में पाँचवाँ स्थान आया तो उन्हीं के कहने पर बी.एससी. में दाख़िले के लिए बाबूजी मुझे शहर ले आये। केमिस्ट्री मास्साब के मित्र थे डॉ. त्रिपाठी। बस उनके नाम की चिट्ठी और थोड़े से रुपयों के भरोसे पिताजी जब शहर के लिए चले तो अम्मा ने उसमें सुरक्षा का एक और हथियार जोड़ दिया—डीह बाबा का ताबीज।

कितना हँसी थी निशिता इस ताबीज को देखकर...

राजेश ने जब पहली बार मिलवाया था तो बताया था, 'ये निशिता है बी.ए. फ़ाइनल ईयर में। छात्र मोर्चे पर तो सक्रिय है ही, नारी सभा में भी सक्रिय है और कविताएँ भी लिखती है, और निशिता ये है संजय। बी.एसएसी. सेकेंड ईयर में। अभी हॉस्टल वाले आंदोलन में बहुत सक्रिय था।' उसकी बात पूरी होने से पहले मेरे हाथ नमस्ते की मुद्रा में आ गए थे और बात ख़त्म होते-होते 'नमस्ते दीदी' फूट चुका था। पहले तो थोड़ी देर सब शान्त रहे फिर मिलाने के लिए आगे बढ़े हाथ से तालियाँ बजाते निशिता ने जो एक बार हँसना शुरू किया तो वह छोटा-सा दफ़्तर ठहाकों से ठसाठस भर गया। फिर बहुत दिनों बाद एक शाम जब वह बेहद उदास थी दफ़्तर के उसी कमरे में मेरी अँगुलियों से सिगरेट लेकर ऐश-ट्रे में मसलते हुए उसने कहा था—'नहीं जानती संजय, कि उस दिन तुम्हारे दीदी कहने पर क्यों इतना हँसी थी मैं। पहली बार घर के बाहर किसी ने कोई रिश्ता जोड़ा था। पापा कहते थे कि सबसे बड़ा रिश्ता होता है कॉमरेडशिप का। उसी माहौल में पैदा हुई...पली-बढ़ी। बचपन याद करती हूँ तो मम्मी-पापा कोई जनगीत गाते हुए याद आते हैं और खुद को किसी कॉमरेड की गोद में पाती हूँ। कब बड़ी हो गयी। कब ख़ुद वही गीत गाने लगी पता ही नहीं चला। फ़ैक्ट्री में काम पापा करते थे। लेकिन लगता हम सब वहाँ काम करते हैं। फिर उस एक्सीडेंट में पापा का जाना। लगा जैसे ज़िन्दगी से सारे मानी ही चले गए। माँ ने यहाँ भेज दिया। सी.पी. तब सी.पी. चाचा थे। फिर यहाँ कामरेड बन गए। लेकिन कभी ढाल नहीं पाई ख़ुद को इस माहौल में। ऐसा लगता है कि बस पापा का कोई अधूरा सपना पूरा करने के लिए चली जा रही हूँ...और उस दिन कैसे तुमने एक रिश्ता जोड़ने की कोशिश की तो हम सब उसका मज़ाक उड़ाने लगे। कुछ है इस जगह में। यहाँ कुछ सहज हो ही नहीं सकता। चलो...यहाँ से चलो संजय। कहीं भी,' और वह मेरा हाथ खींचती हुई बाहर निकल गयी थी। आधी रात तक उसकी स्कूटी पर यों ही घूमते रहे थे हम न जाने कहाँ-कहाँ...

पर लौट कर तो यहीं आना था...

~

सुबह से बादल घिरे हुए थे। बीच-बीच में बादलों का पर्दा हट जाता तो सूरज जैसे गुस्से से झाँकता और फिर से ओट में चला जाता। देखने में ख़ुशगवार लगने वाले इस मौसम की ख़ूबसूरती धोखादेह थी। भारी उमस और हवा का कहीं नामोनिशान नहीं। शरीर का पसीना सूखने का नाम नहीं ले रहा था। मौसम विभाग से बारिश की संभावना की सूचना मिलते ही लाइट कट जाती थी। सी.पी. से मिलने की व्यग्रता में शायद मुझे कुछ ज़्यादा ही पसीना आ रहा था। इन सात सालों में औपचारिक-अनौपचारिक कितनी मुलाकातें हुई थीं उनसे। एक साधारण कार्यकर्ता से होल-टाइमर बनने के इस दौर में सी.पी. मेरे लिए इतने अलभ्य कभी नहीं रहे। यह अलग बात है कि कितनी ही मुलाकातों के बाद ऐसा लगा था मानो उनसे पहली बार मिला हूँ, लेकिन मिलने मात्र को लेकर इतनी व्यग्रता कभी नहीं रही। तमाम सवाल मेरे दिमाग़ में चक्रवात की तरह घूम रहे थे और फिर जैसे अचानक गति के कम हो जाने से एक-दूसरे में गड्ड-मड्ड हो रहे थे। देवेन दा की बातें, अफ़ज़ल का बदला हुआ रूप, निशिता का डर...इन सबके साथ कोई नितांत निजी डर मेरा भी था और शायद चक्रवात का केन्द्र भी वही था। इस डर का चेहरा मेरी आँखों के सामने था, लेकिन मैं उसे पहचान नहीं पा रहा था। इस डर की सिहरन मेरी नसों में थी लेकिन मैं उसे महसूस नहीं कर पा रहा था। मुझे डर था कि वह मेरे और सी.पी. के बीच किसी ऐसी अदृश्य दीवार की तरह न खड़ा हो जाए जिससे मेरे प्रश्न उस पार तक की यात्रा ही न कर पायें।

रात आठ बजे...कम्यून में सी.पी. के कमरे में...जाना तो था ही।

सी.पी. कमरे के बीचोबीच रखी चौकोर मेज़ के उस तरफ़ बैठे थे। पुराना आबनूस का बना फ़र्नीचर किसी संग्रहालय के एंटीक पीस जैसा लगता था। चौकोर मेज़ के आमने-सामने रखी चार कुर्सियाँ, एक कोने में बड़ी-सी स्टडी टेबल जिसके ठीक सामने की खिड़की से गैलरी में लगे गुलाब और रजनीगन्धा के पेड़ दिखाई देते थे, टेबल से लगी दीवार पर ज़मीन से छत तक बनी रैकों में किताबें बड़े करीने से सजी हुई थीं, दूसरी तरफ़ के कोने में पीतल का एक बड़ा-सा वास और उसके ठीक ऊपर फ़ाइव ग्रेट्स की पेंटिंग, सामने छह बाई चार का आबनूसी पलँग, जिस पर झक सफ़ेद चद्दर बिछी

हुई थी और दीवार पर एक लम्बी-सी ऑब्सट्रेक्ट पेंटिंग जो सी.पी. के किसी विदेशी दोस्त ने भेंट की थी। मेज़ पर एक तरफ़ कुछ पत्रिकाएँ और बीच में चार्म्स का पैकेट, माचिस और कछुए की पीठ की शक्ल की ऐश-ट्रे रखे थे। सी.पी. ने सिगरेट सुलगाई और खड़े होकर पूरी गर्मजोशी से हाथ मिलाया। मैं सामने की कुर्सी पर बैठ गया।

'कैसे हो संजय?'

'अच्छा हूँ कामरेड'...

'कहो...'

'जी...'

'अरे भाई तुम्हें कुछ बात करनी थी न...बोलो...'

'जी...मैं असल में ...मैं अफ़ज़ल पर कुछ बात करना चाह रहा था'...

'अफ़ज़ल पर तुम्हारी चिंता से मैं वाकिफ़ हूँ...और कुछ भी है।'

'जी'...

'सिगरेट लोगे'...

'हाँ'...

मैंने अपनी चार्म्स की डिब्बी निकाली। एक सिगरेट जलाई। उस धुएँ के पीछे सी.पी. की आँखें नीली-सी दिख रही थीं। एकटक मुझे घूरती हुईं। मैं सहम-सा गया। लेकिन सीने में उतरती गरमी ने जैसे हिम्मत-सी बँधाई।

'बोलो'...

'सी.पी....कभी आपने कहा था कि संगठन में कमज़ोर लोगों की कोई जगह नहीं?'

'हाँ...बिलकुल...कमज़ोर लोग कोई लड़ाई नहीं लड़ सकते।'

'लेकिन मज़बूत होने का मतलब संवेदनहीनता है क्या? मेरे कहने का मतलब यह है कि एक संवेदनशील आदमी की संवेदना को नष्ट करके क्या हम उसे बेहतर बना रहे होते हैं?'

'जिसे तुम संवेदना कह रहे हो वह कोरी भावुकता है संजय। एक पेटी बुर्जुआ लिजलिजी भावुकता। क्रांतियाँ भावुकता से नहीं होतीं। यह आर-पार की लड़ाई है। जब मैदान में गोलियाँ चल रही हों तो आप दुश्मन के शरीर के घाव नहीं गिन सकते...'

'चे ने तो दुश्मनों के घायल सैनिकों का भी इलाज किया था। मार्क्स का

वह किस्सा भी आपने ही सुनाया था, जब प्रूदो उनके घर आया था और उसके स्वागत के लिए वह अपना इकलौता कोट गिरवी रखने को तैयार हो गए थे। लेकिन उस दिन प्रूदो के पास पैसे थे जिससे उसने मार्क्स की पसंदीदा शराब और खाना मँगवाया और फिर दोनों ने रात भर बहस की...'

'तुम बातों को उलझा रहे हो। यह मार्क्स का समय नहीं और चे के प्रति पर्याप्त सम्मान के बावजूद मैं उसे मध्यवर्गीय रूमान का शिकार मानता हूँ। इसीलिए वह मारा गया और वहाँ क्रान्ति भी सफल नहीं हुई।'

'सफल तो हम भी नहीं कॉमरेड। ढाई दशक हुए नक्सलबारी को और दो दशक से अधिक समय हुआ हमारे संगठन को बने...क्या आधार है हमारा इतने दिनों में? ऐसा नहीं लगता कॉमरेड कि हमारे पास आलोचनाएँ तो बहुत अच्छी हैं, लेकिन हम उनमें से अपने लिए कुछ कारगर नहीं निकाल पाते? आखिर माओ ने कहा था कि क्रान्ति की लड़ाई में मोर्चे पर लड़ने वाले से लेकर घोड़े की लीद साफ़ करने वाले सभी का महत्त्व है...फिर हम यह निष्कर्ष कैसे निकाल सकते हैं कि तथाकथित कमज़ोर लोगों को एक ख़ास तरह के मोल्ड में ढाल कर ही इस लड़ाई का हिस्सा बनाया जा सकता है? ऐसा कैसे हो गया कि प्रेम करने वाले और कविता लिखने वाले भी अब हमारे लिए बेकार के लोग हो गए?'

'तुम भगोड़ों की तरह बात कर रहे हो संजय। यहाँ–वहाँ से संदर्भहीन तथ्य और कोटेशन निकालकर अपनी कमज़ोरी को ढँकने की कोशिश कर रहे हो। इन्क़लाब कोई भैंस नहीं है तुम्हारी कि सुबह चारा डालो और शाम को दुह लो। हर क्रान्ति के पीछे तैयारी का लम्बा दौर होता है। भारत जैसे देश में यह और भी मुश्क़िल काम है। कामरेडों की स्टील टेम्परिंग उसी तैयारी का हिस्सा है। विपर्यय और संक्रमण के इस काल में कमज़ोरों का भागना कोई नई बात नहीं। इस विपरीत समय में वही टिका रहता है जिसने अपने व्यक्तित्वांतरण की कठिन लड़ाई ईमानदारी से लड़ी हो। कविताओं और लिजलिजी भावुकता के सहारे जीने वाले, मध्यवर्गीय जंतुओं के सहारे यह लड़ाई लड़ी भी नहीं जा सकती। लगता है, पीएच.डी. के बाद मास्टरी का सपना तुम्हारे सिर चढ़कर बोलने लगा है। सरकारी घर, सुन्दर प्रगतिशील बीवी, अच्छी तनख़्वाह और बुद्धिजीवी होने का तमगा...यह लालच कम नहीं है। अपने बहानों को तर्क मत बनाओ संजय'...

'बहाने ? मैं सवाल कर रहा हूँ कॉमरेड। सात साल से इस लड़ाई का हिस्सा हूँ और जीवन भर रहने का इरादा है...क्या मुझे अपने वाज़िब सवाल उठाने का...अपने साथियों के वाज़िब अधिकारों की बात करने का भी हक नहीं ?'

'जेनुइन सवाल ? जेनुइन अधिकार ? क्या अधिकार चाहते हो तुम ? कविता लिखने का अधिकार...'

'हाँ...क्यों नहीं...अगर देवयानी कविता लिख सकती हैं तो अफ़ज़ल क्यों नहीं ?' *उफ़! यह बात कैसे आ गयी मेरी ज़बान पर...*

सी.पी. के चेहरे पर एक अजीब-सी कठोरता आ गयी। अँगुलियों में फँसी अधजली सिगरेट उन्होंने ऐश-ट्रे में मसल दी। उठकर स्टडी टेबल तक गए और फिर मेरी तरफ़ घूमे—'तुम्हें क्या लगता है कि मुझे तुम्हारी गतिविधियों की कोई ख़बर नहीं ? मैं जानता ही नहीं कि आजकल तुम किन लोगों से मिल रहे हो। अब तक हम यह सब चुपचाप देखते रहे तो सिर्फ़ इसलिए कि हम देखना चाहते थे कि तुम्हारा असली मक़सद क्या है। जब अफ़ज़ल ने तुम्हारी चिट्ठी मुझे दी थी तभी मैं तुम्हारी योजना के बारे में समझ गया था। फिर जब तुमने बात करने के लिए समय माँगा तो मेरा शक़ पक्का हो गया। युद्ध की भाषा से आपत्ति है तुम्हें ? तुम्हें आपत्ति है कि अफ़ज़ल ने कविताएँ लिखना क्यों छोड़ दिया ? तुम उसे उस संशोधनवादी ज़हीर से बात करने की सलाह दे रहे हो और ख़ुद उस गद्दार नरेन से मिल रहे हो। उसे अपनी पढ़ाई ठीक से करने की सलाह दे रहे हो। कविता लिखने की सलाह दे रहे हो। उधर निशिता को भड़का रहे हो। निहाल को भी प्रभावित करने की कोशिश की है तुमने। लोअर लेवल यूनिटी बनाने का तुम्हारा षड्यंत्र साफ़ समझ में आ रहा है।'

'षड्यंत्र ?'...*मैं अब भी जैसे मामले की गम्भीरता को नहीं समझ पा रहा था*...अपने साथियों से बात करना षड्यंत्र है ? क्या मैंने संगठन तोड़ने की कोई बात की है ? अगर एक संगठन के भीतर तमाम साथी घुटन महसूस कर रहे हैं तो क्या इसमें संगठन के लिए पुनर्विचार की कोई ज़रूरत नहीं...

'घुटन ? जिन्हें घुटन महसूस हो रही है वे जाकर खेत-खलिहानों और विश्वविद्यालयों की ठंडी हवाओं में दर्द भरे नगमे सुनें। यह इन्क़लाब का मोर्चा है कोई मनोरंजन केन्द्र नहीं। उस नरेन की तरह नौटंकी का अड्डा नहीं चला रहा मैं। यहाँ जिनके दिल-गुर्दे मज़बूत हैं वही चल सकते हैं।'

'दिल-गुर्दे मज़बूत हैं या फिर मर चुके हैं? ईमानदारी से कहिये साथी, ये मशीनें इन्क़लाब के लिए मुफ़ीद हैं कि आपके लिए? ये कम्यून'...

सी.पी. भी अचानक बिलकुल चुप हो गया। उसके चेहरे पर एक धूर्त मुस्कुराहट खिल गयी। वह उठा और स्टडी टेबल के पास जाकर खड़ा हो गया। भारी शोर-शराबा मच गया। कमरे में अफ़ज़ल, राजेश और दूसरे कई लोग आ चुके थे। अफ़ज़ल ने पीछे से मेरे हाथ पकड़ लिए, राजेश और श्रीकांत मुझे लात-घूँसों से मार रहे थे। अचानक मुझे सी.पी. की चमकती आँखें दिखीं। ऐसा लगा कि मैंने ये आँखें पहले कहीं देखी हैं। ब्लू? पामुक का ब्लू? मैंने अचानक ज़ोर लगाया और कोने में रखा वास हाथ में उठाकर सी.पी. को दे मारा। उसका माथा कट गया और ख़ून बहने लगा। सब उसकी तरफ़ भागे। रास्ता मिलते ही मैं भी भागा। बाहर निशिता थी। मैंने एक नज़र उसकी ओर देखा लेकिन रुका नहीं। अभी सड़क पर पहुँचा ही था कि एकदम से ज़ोर की बारिश होने लगी। अचानक...चारों ओर घुप अँधेरा...बीच-बीच में किसी वाहन की हेडलाइट चमक उठती। किसी बरसाती कीड़े की आवाज़। सड़क पर पैदल भीगते हुए अपनी साइकिल की याद आई जो मैं जल्दबाज़ी में वहीं छोड़ आया था। मन में ही कहा—'जाओ यह अंतिम चीज़ दी तुम्हें। एक जीवन दर्शन सिखाया है तुमने। उन अद्भुत किताबों से परिचय कराया है। गुरु हुए तुम मेरे। पिता समान गुरु। यह नचिकेता तुम्हें अपनी गुरुदक्षिणा देता है युयुत्सु। अब बचा यौवन नहीं दे सकता।'

~

'अफ़ज़ल को इश्क़ हो गया था,'...निशिता ने बताया।

'अफ़ज़ल का दिमाग फिर गया है,...निहाल ने ख़बर दी।

'अफ़ज़ल पगला गया है'...राजेश ने विश्वविद्यालय में एक मित्र से कहा।

'अफ़ज़ल घर लौट आया है,'...ज़हीर साहब ने फ़ोन करके बताया।

मैं अफ़ज़ल से मिलना चाहता था। मिलना ही था। नरेन दा और निशिता भी आना चाहते थे। लेकिन मैंने उन्हें मना कर दिया। मैं उससे अकेले मिलना चाहता था। बिलकुल अकेले। सुबह की बस थी। पहले सोचा था कि एकाध

दिन रुक जाऊँगा। फिर तय किया कि सुबह पहुँच कर शाम को लौट आऊँगा।

दरवाज़ा अम्मी ने खोला। मैंने फ़ोन कर दिया था तो परिचय नहीं देना पड़ा। अब्बू कॉलेज गए हुए थे। मुझे बैठक में ही रुकने को कहा गया। टीचर्स कॉलोनी का साधारण-सा घर। बैठक में पुराने तरीके का एक सोफ़ा पड़ा था, जिसकी पतली फ़ोम की गद्दियों पर क्रोशिये की फुलकारी का कवर था। सामने रैक पर अफ़ज़ल और उसके भाइयों की अलग-अलग उम्र की तस्वीरें और ट्राफ़ियाँ रखी थीं। एक तस्वीर में अफ़ज़ल राज्यपाल से पुरस्कार ले रहा था एक अन्य तस्वीर में कुशीनगर के बौद्ध विहार के सामने माँ की अँगुली पकड़े, खड़ा था। एक पुरानी तस्वीर शायद अब्बू की थी, जिसमें हाथ में गोलियाई हुई डिग्री लिए और चोगा पहने वह खड़े थे। रैक के ऊपर मक्का-मदीना की आयतों वाला एक बड़ा-सा पोस्टर था। सामने मेज़ पर बीचोबीच एक काँच का गुलदान जिसमें प्लास्टिक का एक पुराना गुलाब रखा था। ऊपर चल रहा पंखा भी सरकारी था, जिससे हवा कम और आवाज़ अधिक आ रही थी। पहले पानी आया। फिर चाय। सबसे बाद में अफ़ज़ल। लुँगी-कुर्ते में दो-तीन दिनों की बढ़ी दाढ़ी के खूँटों के बीच काले से पड़ गए उसके चेहरे से टपकती शर्म और उलझन ने उसे थोड़ी देर रोके रखा फिर 'संजय भाई' कहते हुए लिपटा तो आँखों से जैसे बरसों से जमा दुःख सारे पुल-किनारे तोड़कर बहने लगा। उन आँसुओं ने ही कहा, 'आय एम सॉरी संजय,' मेरे हाथों ने उसके बालों से गुज़रते हुए कहा, *'कोई नहीं। मैं जानता हूँ वह तुम नहीं थे। तुम्हारे भीतर कोई और था।'* लेकिन जो अफ़ज़ल आज मिला था वह भी कोई दूसरा ही था।

उसकी बातें समझ में ही नहीं आ रही थीं। अचानक बहुत उत्साहित हो जाता फिर उदास। उसकी बातों का सिरा पकड़ पाना मुश्किल था। अचानक उसने पूछा—

'तुम्हारे पास मोबाइल है?'

'नहीं। मोबाइल तो नहीं। क्यों?'

'सोहैल के पास है। सोहैल को जानते हो ना। मेरा छोटा भाई।'

'अच्छा।'

'हाँ। बहुत ख़ूबसूरत मोबाइल है। चाइनावाला। और जानते हो उसमें कैमरा भी है। पाँच मेगापिक्सल का कैमरा।'

'अच्छा।'

'हाँ, उसने रज़िया की फ़ोटो भी खींची है।'

'कौन रज़िया?'

'अरे, उसकी रज़िया से शादी होने वाली है भाई। वह खिलखिलाकर हँसा तो उसका चेहरा जैसे विकृत हो गया।'

'और सुनाओ क्या चल रहा है।' मैंने बात बदलने की गरज से पूछा। 'इधर कुछ लिखा-पढ़ा?'

'कुछ ख़ास नहीं। ग़ज़लें कही हैं कुछ। आजकल सोहैल के साथ उसके एन.जी.ओ. में काम कर रहा हूँ। हम गरीब बच्चों को पढ़ाते हैं। यहाँ बस्ती में एक स्कूल खोला हुआ है। शाम को चार घंटे चलता है। तुम चलना शाम को स्कूल। मज़ा आएगा।'

'नहीं, शाम को निकलना है...'

'अरे, मुझे लगा रुकोगे।'

'नहीं यार, फिर आना होगा, अभी काफ़ी काम है वहाँ।'

'अच्छा। अनामिका से मिले,' उसने बहुत धीमे से पूछा।

'नहीं। उससे तो इधर मुलाक़ात नहीं होती, निहाल मिलता है।'

'ओह!' उसकी आवाज़ अचानक उदास हो गयी।

वहाँ से निकल कर मैं सीधा ज़हीर मामू के घर पहुँचा। वे अभी कचहरी में थे, घर पर अपराजिता मिलीं। पहली बार किताबों की वह दुनिया देखी जिसने अफ़ज़ल को गढ़ा था। चारों तरफ़ ज़मीन से दीवार तक किताबें ही किताबें। वहाँ टॉल्सटॉय थे तो पामुक भी, गोर्की थे तो मुराकामी भी, ब्रेख्त थे तो बोर्हेस भी, नेरुदा भी और मार्खेज भी। चोमस्की थे तो अरुंधती राय भी। दुनिया भर की किताबें, जिनका बस नाम सुना था। साहित्य, इतिहास, दर्शन, अर्थशास्त्र, विज्ञान। मैं जैसे सम्मोहित हो बस देखे जा रहा था। अपराजिता जी की आवाज़ से टूटा सम्मोहन—

'कैसा है अफ़ज़ल?'

'हूँ, ठीक ही है।'

'वह ठीक नहीं है संजय। जिस दिन दुकान पर वह घटना हुई उसी दिन मुझे ये लक्षण दिखे थे। लेकिन तब वह सी.पी. के प्रभाव में इस क़दर डूबा था कि कुछ कह पाना, कुछ कर पाना मुमकिन नहीं था। जब लौटकर आया तो सीधे यहीं आया था। लगभग अर्धविक्षिप्त-सा। कोई साथ भी नहीं था। ऐसा

लगता था जैसे महीनों से न ठीक से खाया है न सोया है। ज़हीर ने सादिक़ साहब से पहले डॉक्टर को बुलवाया। उन्होंने शायद नींद की कोई दवा दी थी, तो घंटों सोता रहा। सपने में न जाने क्या-क्या बड़बड़ाता था। बार-बार अनामिका का नाम लेता था और तुम्हारा भी। पूरे दो दिन बाद थोड़ा सामान्य हुआ तो सादिक़ साहब को ख़बर की। लेकिन वहाँ भेजकर जैसे ग़लती कर दी हमने।'

'क्यों? मुझे तो सब ठीक ही लगा। उसने बताया कि वह किसी एन.जी.ओ. में काम कर रहा है।'

'कोई काम नहीं कर रहा। सोहैल उसके कंधे पर रखकर बन्दूक चला रहा है। उसने ग़रीब मुसलमानों के बच्चों को पढ़ाने के नाम पर जम के फ़ंडिंग कराई है। दिखाने के लिए एक स्कूल खोल रखा है। शाम को भेज देता है अफ़ज़ल को दो-तीन घंटों के लिए। वह बेचारा समाज सेवा समझकर काम करता है। सादिक़ साहब दिन-रात ताने मारते रहते हैं। सोहैल के सामने उसे नीचा दिखाते हैं। सोहैल ने उसे झाँसा दे रखा है कि इस काम के अच्छे पैसे मिलेंगे। वह बेचारा इन दोनों के बीच पिस रहा है। सी.पी. ने बहुत बुरा किया उसके साथ संजय।' फिर जैसे कुछ याद आया उन्हें। 'बुरा तो तुम्हारे साथ भी किया था बहुत। लेकिन तुम सँभल गए। यह सीधा था, टूट गया।'

'ओह! मुझे तो पता ही नहीं था ज़्यादा कुछ। वह विश्वविद्यालय आता नहीं था और निशिता के कम्यून छोड़ देने के बाद मेरा वहाँ और कोई संपर्क रहा नहीं। वहाँ क्या कुछ हुआ मुझे कुछ पता ही नहीं चला।'

'ज़हीर मामू आये तो उन्होंने खींच कर गले लगा लिया। उसी पल मुझे लग गया था कि आज रात रुकना ही होगा।'

~

ठण्ड रात के अँधेरे में चुपके-चुपके पाँव पसारने लगी थी। बुढ़ाते जा रहे साल की कमज़ोरी का फ़ायदा उठाकर जैसे वक़्त पर काबिज़ हो जाना चाहती हो। मामू की बैठक में दीवान पर अधलेटा-सा मैं कभी सामने सोफ़े पर बैठे मामू की ओर देखता था तो कभी सामने की रैक पर सजे दुनिया भर के दीवानों की तरफ़। मामू बिलकुल खामोश बैठे थे। चश्मे के भीतर उनकी आँखें जैसे कितना

कुछ कहना चाहती थीं। मैं जानता था कि यह तूफ़ान से पहले की शान्ति है। शाम को उन्होंने मुझे लुई अल्थ्यूजर की *पॉलिटिक्स एंड हिस्ट्री* पढ़ने को दी थी। शाम से उलट-पुलट रहा था और अब भी वह हाथ में थी। अचानक उस सन्नाटे में मामू की आवाज़ गूँजी, 'बैग में रख लो वरना यहीं छोड़ जाओगे।'

'तुम्हें क्या लगता है संजय। अफ़ज़ल के साथ क्या हुआ?'

'मैं सच में नहीं जानता। हाँ, वह जिस तरह से बदल गया था मुझे भी उसकी बहुत चिंता थी। लगता है इस दबाव को वह झेल नहीं पाया।'

'हूँ...बहुत सेंसिटिव लड़का था वह बचपन से,' जैसे मामू की आवाज़ कहीं बहुत दूर से आ रही थी। अतीत के किसी झरोखे से। सादिक़ मियाँ हमेशा उसे मुझसे दूर रखना चाहते थे। लेकिन भागा चला आता था। तुम अंदाज़ा नहीं लगा सकते हो संजय कि किताबों से कितनी मुहब्बत थी उसे। पढ़ता नहीं चाट जाता था वह। दीवानगी की हद तक की थी उसने पढ़ाई। जब गोरखपुर गया तो सोचा था कि यह सब उसे और परिपक्व बनाएगा। सी.पी. के साथ गया तो एक डर तो था पर लगता था कि ये किताबें उसे रौशनी दिखाएँगी और वह सही रास्ता चुनेगा, लेकिन, ऐसा नहीं हुआ। तुम अल्थ्यूजर के बारे में जानते हो?'

'ज़्यादा नहीं। बस नाम सुना है सी.पी. के मुँह से एकाध बार,'...

'पढ़ना। फ्रांस की कम्यूनिस्ट पार्टी में था वह। जब स्टालिन के बाद पार्टी ख्रुश्चेव के प्रभाव में थी और मार्क्सवाद को और मानवीय बनाने के लिए स्टालिन को ठुकराया जा रहा था, तो उसने ग्रेट डिबेट में माओ का पक्ष लिया था। बहुत आक्रमण हुए उस पर। लगभग अकेला पड़ गया, लेकिन अपनी बात पर अडिग रहा। उसका मानना था कि मनुष्य चूँकि सामाजिक निर्मिति है, तो यह देखना ज़रूरी है कि किस तरह समाज किसी मनुष्य की अपनी छवि उसकी दृष्टि में निर्मित करता है। यह कम्यून के नाम पर जो समाज बनाया है सी.पी. ने, उसका ही प्रभाव है कि अफ़ज़ल जैसे लड़के ख़ुद को अपनी नज़र में वैसे ही देखते हैं जैसा वह समाज दिखाता है। वह उस समाज का आदर्श नागरिक बनना चाहता था। बन नहीं पाया। अब उसके पिता उसे इस समाज का आदर्श नागरिक बनाना चाहते हैं। सोहैल जैसा। मुझे डर है कि वह यह भी नहीं बन पायेगा। अगर संभव हो तो उसे फिर से यूनिवर्सिटी ले जाओ

संजय। उसकी पढ़ाई शुरू करवाओ। पैसों की चिंता मत करना। मैं मैंनेज कर लूँगा। मुझे उसकी बहुत चिंता हो रही है दोस्त।'

'मैं बात करूँगा उससे।'

'हाँ...और बताओ। क्या चल रहा है वहाँ। तुम और नरेन मिलकर, सुना है कुछ नया काम शुरू कर रहे हो?'

'हाँ, अभी तो सांस्कृतिक मोर्चे पर ही। राजनीतिक फ्रंट पर कोशिश जारी है। तमाम लोगों से बात हो रही है। जो अब तक के अनुभव हैं उनकी रोशनी में ही कुछ नया तलाशना चाहते हैं हम लोग। आपसे भी बात करना चाहता था।'

'मुझसे!' उन्होंने अपनी आँखें मुझ पर जमा दीं। फिर उठकर अलमारी तक गए। एक किताब निकाली और सोफ़े पर बैठकर किताब में कुछ ढूँढ़ने लगे और मनचाहा पन्ना मिल जाने पर मेरी ओर एक बार फिर देखा। 'सुनो, ब्रेख्त की एक कविता है—नई पीढ़ी के प्रति मरणासन्न कवि का संबोधन—उसी से ये लाइनें हैं। ग़ौर से सुनो—

इसलिए

मैं सिर्फ़ यही कर सकता हूँ
मैं, जिसने अपनी ज़िन्दगी बरबाद कर ली
कि तुम्हें बता दूँ
कि हमारे सड़े हुए मुँह से
जो भी बात निकले
उस पर विश्वास मत करना
उस पर मत चलना
हम जो इस हद तक असफल हुए हैं
उनकी कोई सलाह नहीं मानना
ख़ुद ही तय करना
तुम्हारे लिए क्या अच्छा है
और तुम्हें किससे सहायता मिलेगी
उस ज़मीन को जोतने के लिए
जिसे हमने बंजर होने दिया

और उन शहरों को बनाने के लिए
लोगों के रहने योग्य
जिसमें हमने ज़हर भर दिया'

कविता ख़त्म होते-होते उनकी आवाज़ कमज़ोर पड़ चुकी थी। रात भी गहरा रही थी। पास की मस्जिद से नमाज-ए-अशा की आवाज़ आ रही थी। ज़हीर मामू ने एक नज़र उस ओर डाली जिधर से आवाज़ आ रही थी और फिर किताब सामने की मेज़ पर रख आँखें मूँद कर सोफ़े पर अधलेटे हो गए। अपराजिता ने एक बार उन्हें देखा फिर मुझे।

हम सब जानते थे कि अब सिर्फ़ रात बाक़ी है। बात ख़त्म हुई!

~

फिर वह दिन...

कोई ग्यारह बज रहे होंगे जब अफ़ज़ल मेरे दरवाज़े पर अचानक नमूदार हुआ। बेहद ख़ुश दिख रहा था। सामने पड़ते ही 'संजय भाई' कहता हुआ लिपट गया। निशिता से गर्मजोशी से हाथ मिलाया। सामान्य से लगते सब कुछ के बीच बस उसकी मौलाना कट दाढ़ी जैसे नज़र में चुभ रही थी। हाल-चाल...शिक़वा-शिक़ायतों के बीच अचानक उसने अपना मोबाइल निकाला, चाइनीज़ मोबाइल...उसने बताया... 'पाँच मेगापिक्सल का कैमरा है इसमें। दो हज़ार नम्बर की मैमोरी और दो जीबी का डेटाकार्ड...बस ब्लूटूथ नहीं है, बाकी सारे फ़ीचर्स हैं।'...फिर उसमें सबकी तस्वीरें दिखाने लगा...अम्मी-अब्बू-फ़ैजल...एन.जी.ओ. के किसी कार्यक्रम में खींची कुछ तस्वीरें थीं, जिसमें स्थानीय विधायक और शहर-क़ाज़ी भी शामिल हुए थे। वह सबके बारे में बता रहा था...बिना रुके...लगातार। उसकी वाचालता थोड़ा शक़ भी पैदा कर रही थी, लेकिन जिस विस्तार और स्पष्टता से वह सारी चीज़ों के बारे में बता रहा था, उससे यह शक़ निराधार भी लग रहा था। मैंने उससे ज़हीर साहब के बारे में पूछना चाहा तो बस 'वह भी ठीक हैं'...कहकर उसने विषय बदल दिया। बातों-बातों में ही शाम हो गयी। मैंने कई बार उससे

पढ़ाई फिर से शुरू करने के बारे में या फिर राजनीति के बारे में बातें करने की कोशिश की, लेकिन नाकाम रहा। शायद पाँच बज रहे होंगे तब, जब वह अचानक चलने की बात करने लगा। मैंने रोकने की कोशिश की तो कहने लगा कि 'एक काम है छोटा सा, निपटा कर निकलना है।'

फिर अचानक पूछा, 'अनामिका से मिले तुम?'

'नहीं तो।'

'ओह! वह आई थी हमारे शहर में।'

'अच्छा।'

'हाँ...अपनी दीदी के साथ।'

'दीदी? यानी देवयानी?'

'हाँ, एक कार्यक्रम था...लेकिन मुझे पता ही नहीं था...तो जा नहीं पाया... दीदी साथ नहीं होतीं तो वह मुझसे मिलने ज़रूर आती।'

'ओह!'...*अचानक मुझे कुछ सूझा...* 'तो क्या तुम मिलने जाओगे उससे?'

'हाँ...नहीं मिलूँगा, नहीं। बस एक बार देखकर लौट जाऊँगा। मुझे अपने कैमरे में उसकी एक तस्वीर चाहिए बस।'

'पागल मत बनो अफ़ज़ल।'

'नहीं, किसी को पता नहीं चलेगा। शाम को रोज़ वह किचन गार्डन में ज़रूर बैठती है एकाध घंटे। बस तस्वीर लेकर चला आऊँगा।'

विश्वास कीजिए, मैंने रोकने का हरसंभव प्रयास किया। लेकिन सुबह से सामान्य लग रहा अफ़ज़ल अब कतई सामान्य नहीं था। वह गया...

फिर?

फिर क्या?

वही...।

उसका चीख़ना, कम्यून की बाड़ के कँटीले तारों में शर्ट का उलझना, ख़ून, पकड़ो, भागने न पाए, गद्दार, जासूस, चोर, सड़क, जीप, रिक्शा, नाली, पुलिस, मोबाइल, गद्दार, पकड़ो, साला, कमीना, थप्पड़, जूते, बेल्ट, बक्कल, शेर, ख़ून...उफ़!

आधी माँएँ, आधी बेवाएँ

पैंतीस की उम्र है मेरी। शोपियाँ में जन्मी। शोपियाँ नहीं जानते आप? वादी-ए-कश्मीर का छोटा-सा तालुका। श्रीनगर से आयेंगे तो पुलवामा होकर आना होगा। और इस्लामाबाद से...अरे आप तो अनंतनाग कहते हैं ना उसे। वहाँ से आये तो ज़ैनापुरा होकर आना होगा। हाँ, सही पहचाना, वही ज़ैनापुरा जिसे बड शाह ने बसाया था। कश्मीर का हीरा बादशाह, ज़ैनुलआब्दीन। सोचिये बुतशिकन सिकन्दर का बेटा ज़ैनुलआब्दीन, जिसने अपने बाप के सारे क़ायदे बदल दिए। उसके डर से भाग गए पंडितों को फिर से बसाया और हिन्दू मुसलमान का फ़र्क़ किए बिना कश्मीर को जन्नत में बदल दिया। उन्हीं के वक़्त में थे नुन्द ऋषि शेखउलआलम। शेख नुरूद्दीन। आप कहेंगे यह मुसलमान ऋषि कैसे हो गया? है न गड़बड़झाला? यही कश्मीर है मेरा...इतनी आसानी से समझ नहीं आता। अच्छा, अगर बताऊँ कि जब नुन्द पैदा हुए तो अपनी माँ का दूध ही नहीं पी रहे थे और जोगिन लल द्यद ने जब अपना सीना उनके मुँह में देकर कहा कि 'दुनिया में आने से नहीं शर्माए तो इसके सुख लेने से क्यों शर्मा रहे हो,' तो उस बूढ़ी जोगिन के सीने में दूध उतर आया। हिन्दू जोगिन का पहला दूध पीकर यह बच्चा मुसलमानों का सबसे बड़ा पीर बना कश्मीर में, तो? सन्न रह जाओगे ना? ऐसा ही है हमारा कश्मीर। न हिन्दुस्तान समझा, न पाकिस्तान। सबको अपने रंग में रंगने की पड़ी है....ख़ैर चली थी अपना क़िस्सा सुनाने और कहाँ के क़िस्से ले बैठी मैं। क्या करें, यहाँ किसी के क़िस्से सिर्फ़ उसके कहाँ होते हैं? एक माज़ी है सिर पर सवार और एक आज है रगों में ख़ून-सा तैरता। ख़ैर, मैं शोपियाँ के बारे में बता रही थी आपको। आने के लिए पहाड़ी रस्ते। बसें चलती हैं धीरे-धीरे। बीच-बीच में रुकती हैं कहीं, तो लोग भाग के चाय पीने जाते हैं। और जब रोक दी जाती

हैं तो क़तार बना के खड़े हो जाते हैं तलाशी के लिए।

उस दिन बर्फ़ गिरी थी। ऐसी ठण्ड कि हड्डियाँ जम जाएँ। फिरन के भीतर कांगड़ी के गर्म कोयले भी जैसे बर्फ़ बन गए थे। शाहीन तो बिस्तर से उठने का नाम न ले। स्कूल बन्द थे तो यासीन भी घर में दुबका रहा। ऐसे तो पाँव नहीं पड़ते घर में। जब देखो क्रिकेट-क्रिकेट। बल्ला उठाया और निकल लिए मैदान में। लेकिन उस दिन सारी गलियाँ कुहरे में डूबी थीं और मस्जिद से आती अस्र की नमाज़ की आवाज़ें जैसे उन्हीं कुहरों में डूबती जा रही थीं। सूरज था ही नहीं कहीं आसमान में पर नमाज़ बता रही थी कि जहाँ कहीं था वह अब डूबने वाला था। शाहिद अब तक नहीं लौटे थे। अब तक तो लौट आना था पुलवामा से। हर हफ़्ते जुमे के रोज़ सुबह की बस से जाकर वहाँ से किराने का सामान ले आते। हमारी छोटी-सी दुकान थी ना किराने की। शक्कर, चाय पत्ती, टॉफ़ी, चिप्स, चावल सब मिलता था। दिन में शाहिद बैठते, दोपहर बाद मैं और शाम को शाहिद के साथ यासीन भी। थोड़े से खेत थे, चन्द पेड़ सेब के और मज़े से चल रहा था घर। यासीन को पढ़ा रहे थे 'शाह-ए-हमादान' स्कूल में। शाह-ए-हमादान को तो जानते हैं ना आप? नहीं! इतनी नावाकफ़ियत हमसे! आख़िर आप ही कहते हैं कि हम हिन्दुस्तानी हैं। यहाँ तो बच्चा-बच्चा जानता है बुद्ध को, राम को, *महाभारत* को और आप... ख़ैर! हमादान से आये थे सैयद अली हमदानी। बड़े पहुँचे सूफ़ी पीर थे। कहते हैं कि नौ बरस के थे तो ज़बानी याद कर ली थी कि *क़ुरान शरीफ़*। तैमूर के वक़्त में जब उसने ख़ुद के लिए खिलाफ़त माँगी तो इनकार कर दिया सूफ़ियों ने। वह बेहद नाराज़। उसके कहर से बचने के लिए छोड़ दिया अपना शहर। दुनिया भर में दीन का प्रचार करने निकल पड़े। कई बार हज़ किया। पीर-मौलवी थे, आख़िर हम जैसे अभागे तो थे नहीं कि चरार-ए-शरीफ़ तक जाने को तरस जाएँ। घूमते-घूमते कश्मीर आये तो इन ख़ूबसूरत वादियों ने रोक लिया उन्हें। सुल्तान क़ुतुबुद्दीन का राज था उन दिनों। मलंग सुल्तान। मस्जिद जाता तो मंदिर भी। हिन्दुओं से कपड़े पहनता। गाने सुनता। शाह-ए-हमादान को पूरी इज़्ज़त दी। खानकाह की ज़मीन दी और बदले में शाह उसे असली मुसलमान बनाने पर लग गए। दीन और शरिया ऐसा सिखाया कि उसने अपनी दो बेगमों में से एक को तलाक़ दे दिया। सगी बहनें थीं ना वे और शरिया इसकी इजाज़त नहीं देता और औरत बेगम हो बादशाह की या

फिर ग़रीब की। उसकी औकात ही क्या? बोल दिया तीन बार तलाक़, फेंक दिए मेहर के टुकड़े और क़िस्सा ख़त्म। जिए या मरे क्या फ़र्क पड़ता है। दीन के अलम की रौशनी तो औरत की आहों से ही बढ़ती है ना। ख़ैर...देखिये न मैं फिर बहक गई। तो उस रोज़ शाम से रात होने को आई...नमाज़-ए-मगरिब की आवाज़ कानों में पड़ी तो दिल बैठने लगा। इतनी देर तो कभी नहीं हुई और फिर जब नमाज़-ए-अशा पढ़ने बैठी तो अगल-बगल बैठे बच्चों के साथ फूट-फूट कर रो पड़ी। कहीं से कोई ख़बर नहीं आई थी। चौक तक हो आई कई बार। बस वालों से पूछा। कहीं कोई ख़बर नहीं। दूसरे मोहल्ले में शाहिद के चचाजात भाई रहते थे मोहसिन भाई। उनकी भी दुकान थी किराने की ही। अक्सर दोनों साथ ही आते-जाते थे। कुछ न सूझा तो भाग के उनके पास गई। गलियों में घुप अँधेरा। थोड़ी-थोड़ी दूर पर आर्मीवाले दिखते। मैंने अपना आई-कार्ड गले में लटका लिया था। किसी ने न रोका। वहाँ पहुँची तो उदासी का कुहरा दरवाज़े तक पसरा था। भीतर ज़ख़्मी मोहसिन भाई बिस्तर पर पड़े थे। मुझे देखते फूट पड़े—'चेकिंग हुई थी बस की। बहुत मारा। सबको मारा। शाहिद को भी मारा। वह ठहरा गुस्सेवाला। बहस करने लगा तो उठा ले गए उसे अपने साथ। मैं आने वाला था बताने लेकिन हाथ-पाँव सब सुन्न हैं।' सुन्न होने की बारी तो अब मेरी थी। वहीं ढेर हो गई ज़मीन पर। उठा ले गए! कहाँ? जाने पुलवामा के थाने में रखा होगा कि इस्लामाबाद ले गए होंगे। कहीं श्रीनगर तो नहीं। आँखों के सामने अँधेरा छा रहा था।

रात क्या थी, क़यामत की रात थी वह। सोचती हूँ उस रात क्या गुज़री होगी हसन-हुसैन के बीवी बच्चों पर। मर्द शहीद हो जाता है, औरतें बेवा रह जाती हैं बस और बच्चे यतीम। किसी क़िस्से में उनके आँसुओं की नमी नहीं होती शामिल। उनकी ज़िन्दगी की तो तमाम रातें क़यामत की रातें हो जाती हैं ना। उस्मान को ले गए थे आर्मीवाले। आज छह महीने हुए कहीं कुछ पता नहीं। पगली-सी सोफ़िया घूमती रहती है इस थाने से उस थाने। इस चौकी से उस चौकी। बच्चे का स्कूल छूट गया। दस बरस का बच्चा मज़दूरी करता है। बूढ़ा बाप कलप-कलप के मर गया। एक घर और दो बेवा औरतें। एक पूरी और एक आधी। मेरे अल्लाह रहम कर। रहम कर मौला। इन मासूम बच्चों पर रहम कर। सीधा-सादा मर्द मेरा। पाँच वक़्त का नमाज़ी। कभी तेरी शान में कोई गुस्ताख़ी नहीं की। किसी ग़ैर औरत को नज़र उठा के न देखा। उसे

क्या करना बंदूकों से? उसे क्या करना ज़िहादियों से? उसके तो सारे सपने इन दो बच्चों के लिए हैं। कहता है कि बेंगलोर भेजूँगा यासीन को। इंजीनियर बनाऊँगा। शेख़ साहब की तरह बड़ा आदमी बनके लौटेगा। और लौट के क्या मिला था शेख साहब को? डोगरा राजा के दरबार में कोई ढंग की नौकरी नहीं थी किसी मुसलमान के लिए। मुदर्रिस हुए स्कूल में। वो तो सन तीस का गुस्सा था जिसके नेता बन के उभरे वह और फिर बाबा-ए-कश्मीर बन गए, वरना चली जाती ज़िन्दगी बच्चों को पढ़ाते हुए। इतना कहती हूँ, कोई काम-धंधा सिखाओ इसे। बन भी गया इंजीनियर तो कहाँ रखी है नौकरी इस सूबे में? बड़े घर का होता तो इंग्लैण्ड, अमरीका चला जाता। हम कहाँ से भेजेंगे इसे? ऐसे सपने न देखो कि कल को उसकी किरचें आँखों में चुभें। पर दीवाना है वह तो। किसी की नहीं सुनता। मजलिस से लड़ के चला आता है। एक-एक पैसा बचाता है इन बच्चों के लिए। मौला उस पर ये ज़ुल्म क्यों?

सुबह हुई तो जैसे सूरज की रौशनी में धब्बे पड़ गए थे। बच्चों को जल्दी से नाश्ता कराया और मोहसिन भाई के घर छोड़ दिया। पहली बस पकड़ के पुलवामा पहुँची। इतनी उम्र हुई, न कभी थाने गई न कचहरी। हाथ-पाँव फूल रहे थे। मैं ग़रीब जाहिल कैसे बात करूँगी हाकिमों से। क्या कहूँगी, क्या सुनूँगी। किसी को साथ लाना चाहिए था शायद। ख़ैर, खुदा-खुदा करके पहुँच गई थाने में। भला आदमी था बेचारा संतरी, सीधे थानेदार के पास ले गया। पर वहाँ कोई सुनवाई नहीं थी, बोले, 'आर्मीवाले ले गए होंगे। उनके आगे हमारी क्या चलती है? तुम आर्मी कैम्प जाओ। वहाँ से कुछ पता चले शायद।' 'आर्मी कैम्प'! नाम ही सुना था। रूह कँपाने वाले क़िस्से। मोहल्ले के ज़नूबी कोने पर रहने वाले सादिक़ मास्टर का बेटा गिरफ़्तार हुआ था गर्मियों में। श्रीनगर में पढ़ता था। कैसा सुन्दर बाँका नौजवान था। कितनी शीरीं आवाज़। लेकिन जब से श्रीनगर गया था चुप-चुप रहने लगा था। जाने कहाँ भटकता रहता दिन भर। अपनी ही दुनिया में गुम। और उस रात जब आर्मी ने रेड डाली तब पता चला सबको कि जेहादी हो गया था वह। फिरन के अन्दर बन्दूक छिपा के रखता था। मास्टर के जूते घिस गए आर्मी कैम्पों के चक्कर लगाते पर आज तक कोई ख़बर न मिली। कहते हैं पापा टू में रखा है उसे! पापा टू! श्रीनगर की सबसे खौफ़नाक जेल। बच के निकल भी आये कोई वहाँ से तो बाक़ी उम्र किसी काम का नहीं रहता। आख़िर क्यों

लगी है ऐसी आग। इतने मासूम बच्चे क्यों उठा लेते हैं बन्दूक। आग लगे इस सियासत को। आर्मी के क़िस्से सुनाते-सुनाते सादिक़ मास्टर जुल्चू की कहानी सुनाने लगते। खूँखार तुर्क लुटेरा। आया तो श्रीनगर वीरान हो गया। राजा भाग गया। मर्दों की जान गई, औरतों की आबरू। बेवा शहर की जिस गली में उसके सैनिक घुस जाते, वीरान हो जाती। माल-असबाब लूटकर मर्दों की हत्या कर देते और औरतें...उनके लिए तो सबके पास एक ही भूख है एक ही प्यास। कहते हैं जब वह गया तो कोई घर साबुत न बचा था, किसी कुठला में अनाज न था। रिंचन आया तब आगे। मदद की सबकी। श्रीनगर को फिर से बसाया। बौद्ध था वह, हिन्दू बनना चाहता था। पंडितों ने मना कर दिया तो बुलबुल शाह के पास गया और मुसलमान बन गया। कश्मीर का पहला मुस्लिम बादशाह और उसकी बीवी, कोटा रानी! उसके बाप की हत्या कर तो बना था रिंचन बादशाह। फिर वह मरा तो नन्ही-सी जान छोड़ गया। बुलाके पुराने राजा के भाई को सबने गद्दी पर बिठाया। उसने भी कोटा से शादी की। न करती तो क्या करती? हर ओर साजिशों के बीच कहीं मर-खप गई होती वह। राजा के मरने के बाद क्या हुआ? जब उसने ख़ुद राज चलाना चाहा तो वज़ीर शाहमीर ने कहाँ बर्दाश्त किया? गिरफ़्तार किया। शादी की और एक रात गुज़ारने के बाद ख़त्म कर दिया उसे बच्चे सहित। इसीलिए तो दिद्दा ने नहीं किया था भरोसा किसी पर। दिद्दा! जानते हैं ना आप? नहीं जानते...ख़ैर बताती हूँ। नौवीं सदी में क्षेमेन्द्र नाम के राजा की रानी थी। राजा दिन-रात औरतों के साथ रंगरलियाँ मनाता। शराब और औरत। बस यही ज़िन्दगी थी उसकी। निकलना पड़ा दिद्दा को परदे से बाहर और राज सँभाल लिया उसने। सारे दाँवपेंच सीखे। अपनी अय्याशी के चलते कम उम्र में मर गया राजा और कमसिन बेटे को गद्दी पर बिठा के दिद्दा राज करने लगी। सत्ता के भूखे सियासतदानों के सामने उसने अपनी सुन्दर देह को हथियार बना लिया। कपड़े की तरह बदले आशिक़। जिससे काम निकल गया उसे बेरहमी से क़त्ल करा दिया और सत्ता का लालच जानते हैं ना आप? एक दिन अपने नन्हे पोतों को भी मरवा दिया उसने। सब उसे बुरा कहते हैं। क़ातिल-अय्याश-आवारा। पर सोचिये ज़रा, न करती ये सब तो आज कोई नाम भी जानता उसका? फेंक दिया गया होता राजा की चिता पर उसे और इतिहास की धूल-गर्द में दब गई होती कहीं। मर्दों के खेल में किसी और नियम से कैसे खेल सकती है कोई

औरत? फिर बहका दिया आपने मुझे, ऐसे कैसे सुनाऊँगी अपनी कहानी मैं!

तो आर्मी कैम्प पहुँच गई मैं। जाने कहाँ से आ गई थी इतनी हिम्मत। पर भीतर कौन जाने दे? बाहर के दो संतरियों में से एक तो कुछ सुनने को ही तैयार नहीं पर दूसरा भलामानस था। कितना मासूम चेहरा। चेहरे पर एक उदासी की चादर-सी थी। जाने क्या गुनाह है इन बन्दों का भी कि घर-परिवार से दूर यहाँ अनजान बस्ती में मौत का सामान पकड़ा के भेज दिया गया है। दिन-रात संगीनों के साए में, मौत का खेल खेलते। इनकी माँओं के भी कलेजे फटते होंगे। जाने कब कौन-सी ख़बर आ जाए। अल्लाह रहम कर। हर ग़रीब पर रहम कर। बन्द करवा ये ख़ूनी खेल। लेकिन भीतर जो अफ़सर मिला उसकी बातों में मासूमियत का कोई क़तरा नहीं था। एक बात न सुनी कमबख़्त ने। नाम-फ़ोटो सब लेकर रख लिया और बोला, ख़बर मिली तो बता देंगे। मैं रोने लगी तो झिड़क कर बोला, 'तब रोना था बीबी जब मियाँ तुम्हारा जेहादियों का ख़बरी बन रहा था। हर जुमे जाता था पुलवामा ख़बर पहुँचाने।' मैं रोती रही, मिन्नतें करती रही। वह तो सौदा लाने जाता था साहब। किराने की दुकान है हमारी। सामान लाने जाता था वह। ख़बरी नहीं है वह हुज़ूर। कुछ लेना-देना नहीं उसका जिहादियों से। पर कौन सुनता। वहाँ से चले जाने का हुक्म हुआ बस।

और फिर शुरू हुआ भटकने का मुसलसल सफ़र। पुलवामा-इस्लामाबाद-श्रीनगर-थाना-जेल-कैम्प। जिस औरत ने शोपियाँ के बाहर की दुनिया न देखी पैंतीस सालों में उसने जाने कौन-कौन-सी गलियाँ देख लीं। कभी बुलाया जाता लाशों की पहचान करने को तो कलेजा पत्थर करके जाती। कभी घर आ जाते आर्मी के जवान तो रूह काँप जाती। कैसी नज़रों से घूरते थे घर को। जहाँ चाहते बेधड़क घुस जाते। शाहिद का एक-एक सामान उलट-पुलट डाला। दुकान का एक-एक कोना छान मारा। हम तीनों एक कोने में दुबके रहते। यासीन अपने बाप पर ही गया था। गुस्से से पागल हो जाता, लेकिन मैं उसे थामे रहती। पढ़ाई छूट गई उसकी। दुकान बर्बाद हो गई। खेतों में किसी तरह हो जाता चावल और मक्का इतना कि भूखे न रहना पड़े। पर बाक़ी ख़र्चे चलाना मुश्किल। ऊपर से ये दौड़-भाग। अल्लाह रहम कर...

और फिर ताँता लगा अजीब-अजीब लोगों का। कंधे पर कैमरे लटकाए चले आते। रिकॉर्डर ऑन करते और शुरू हो जाते। आपका नाम? अरे नाम

तो मैंने बताया ही नहीं आपको! वैसे भी क्या नाम होता है औरत का? किसी की बेटी, फिर किसी की बीवी और फिर किसी की माँ। न हुआ होता यह हादसा तो किसको रुचि थी मेरे नाम में? ख़ैर नाम तो है ही मेरा एक। राबिया। राबिया जानते हैं आप? तुर्की में पैदा हुई थीं। ग़रीब माँ-बाप की औलाद। सात साल की थीं जब, सड़क से उठाकर बेच दिया था किसी ने। क़िस्मत ने ग़ुलामी लिखनी चाही उनके माथे पर, लेकिन उनका दिल तो ख़ुदा में बसता था। सूफ़ी हो गईं। छोड़ दी दुनिया। जंगल में रहती थीं जानवरों के बीच। जानवर ख़रीद-फ़रोख्त नहीं करते ना। बलात्कार भी नहीं करते। गोलियाँ भी नहीं चलाते। सिरहाने ईंट का तकिया, तन पर एक फटा-पुराना लिबास और पानी के लिए टूटी मटकी। बस यही ज़ायदाद थी उनकी। बड़े-बड़े पीर फ़कीर आते उनके पास। सूफ़ियों की दुनिया में बड़ा मान है उनका। लल द्यद को भी नाम दिया था उनके दीवानों ने—राबिया सानी। उनका भी क्या था। ग़रीब ब्राह्मण की बेटी। आठ साल की उम्र में ब्याह हुआ। सास खाने को देती तो थाल में पत्थर रख देती और उसके ऊपर चावल। भूखी-प्यासी दिन भर खटती। जंगल में जातीं पानी लाने तो बैठ जातीं ध्यान लगाकर। जब कहीं से न मिले मुहब्बत तो ऊपरवाले के अलावा सहारा क्या है? एक दिन छोड़ दिया सब कुछ और जोगन हो गईं। न तन पे लिबास न मन में कोई सपना। गली-गली घूमतीं और वाक रचतीं। आज तक कश्मीर में कहे जाते हैं उनके वाक। मीराबाई को भी घर छोड़ना पड़ा था ना? औरत या तो घर के चूल्हे में ख़ाक हो जाए या फिर छोड़ दे घर और उम्र भर के लिए बेघर हो जाए। पर वो सब तो महान औरतें थीं। हिम्मतवाली। मैं तो एक आम औरत। बचपन से सपना एक घर का, जहाँ एक शौहर हो, दो बच्चे हों, अनाज हो घर में, दरवाज़े पर फूलों की क्यारी हो। और मिला भी था यह सब। जाने किसकी नज़र लगी, सब छिन गया उस मनहूस रात को। जो पूछता उसे वही क़िस्सा दुहरा देती। जो दरवाज़ा दिखता उस पर गुहार लगाती। जो जहाँ कहता चली जाती। मिन्नतें करती, हाथ जोड़ती। कोई सुन लेता, कोई सुनता भी नहीं। और ये लोग...किसी को अख़बार में कहानी बनानी थी, कोई किताब लिख रहा था, किसी को फ़िल्म बनानी थी...किसी को कुछ तो किसी को कुछ। शुरू-शुरू में बड़े उत्साह से बताती। लगता दुनिया को ख़बर मिलेगी तो मदद करेंगे सब। पर धीरे-धीरे समझ आया कि हम बस एक क़िस्सा हैं सबके लिए। शोपियाँ

से श्रीनगर, श्रीनगर से दिल्ली, दिल्ली से अमेरिका। सबके लिए एक क़िस्सा हैं हम...एक उदास क़िस्सा जिसे सुनकर उनकी रूह में थोड़ी देर हरक़त तो होती है लेकिन थोड़ी देर बाद सब सामान्य हो जाता है और वे पन्ने पलट कर नए क़िस्से ढूँढ़ने लगते हैं। क़िस्सागो को ईनाम मिल जाता है, सुनने वाले को सुकून और हम वैसे के वैसे।

हाँ...मैं नहीं हम। अकेली नहीं हूँ मैं। श्रीनगर गई तो पता चला मुझ जैसी अभागनों की लम्बी फ़ेहरिस्त है कश्मीर में। 1989 में जब आग लगी कश्मीर में और हमारे सैकड़ों बरस के पड़ोसी पंडित घाटी छोड़ के जाने को मजबूर हुए तब से लेकर अब तक हज़ारों ऐसे लोग ग़ायब हुए कि आज तक नहीं लौटे। सच कहूँ तो कौन बेघर नहीं है कश्मीर में अमीर-उमराओं के अलावा। पंडित बेचारे पुरखों का घर छोड़कर जाने कहाँ-कहाँ भटक रहे हैं, जिन्होंने बन्दूक थाम ली उनका तो कोई ठिकाना ही नहीं, कौन-सी गोली पर नाम लिखा हो उनका कौन जाने, ये जो आर्मीवाले यहाँ अपने घर-बार छोड़ के भटक रहे हैं उनकी भी क्या ज़िन्दगी है। मारते हैं, मरते हैं जाने किसके लिए। और हम जैसे आम लोग। किस पल हो जायेंगे बेघर कोई नहीं जानता। आधी बेवा कहा जाता है हम जैसों को। न सुहागन, न बेवा। माँए हैं आधी, जिनके बेटों की कोई ख़बर नहीं। रैलियाँ निकालते हैं, दुनिया भर में ख़त लिखते हैं लेकिन आगा साहब कहते हैं ना—यह बिना डाकघर का मुल्क है। कहीं से कोई जवाब नहीं आता। हब्बा खातूने हैं हम भटकती हुईं अपने-अपने युसुफ़ के लिए। जानते हैं ना हब्बा ख़ातून और युसुफ़ चक का क़िस्सा? युसुफ़ चक खानदान का चिराग। शायर मिज़ाज। मौसिकी का दीवाना। लम्बा कद, ख़ूबसूरत काठी, बाँका जवान। तलवारबाज़ी ही नहीं संगीत भी सीखा था उसने। ऊबता जब सियासत से तो वादियों में निकल जाता अपने काले अरबी घोड़े पर बैठकर। भटकता रहता यहाँ-वहाँ। झेलम के किनारे बैठ ऐसे ही एक दिन खोया था वादी की ख़ूबसूरती में कि एक आवाज़ सुनाई दी। दर्द से भरी मासूम आवाज़। पीछा करते पहुँचा तो हब्बा ख़ातून चिनार से सिर टिकाये आँखें मूँदे गा रही थी। बड़ी-बड़ी आँखें, सुतवाँ ज़िस्म और आवाज़ ऐसी कि रूह को छू ले। दीवाना हो गया युसुफ़। ब्याह लाया उसे। कितने ख़ुश थे दोनों। सियासत की पेचीदगियों से जूझकर लौटता जब, तो हब्बा की बाँहों में डूब जाता। जंग के मैदान से लौटता तो उसके जख़्मों को चूम लेती वह और

ज़ख़्म फूल से महकने लगते। दोनों निकल जाते वादियों में। हँसते-गाते, शे'र कहते। दिन हवा की तरह निकल रहे थे पर हाय रे सियासत। देखते-देखते कश्मीर शहंशाह-ए-हिन्द जलालुद्दीन मोहम्मद अकबर के परचम तले आ गया। युसुफ़ को पटना भेज दिया गया एक छोटी-सी रियासत देकर। हब्बा अकेली रह गई। न कोई घर, न सहारा। भटकती रहती अपने युसुफ़ को याद करती, उसके लिए नज़्में कहती, कहीं बैठकर गाने लगती तो आँखों से अपने आप आँसू झरने लगते। युसुफ़ कभी नहीं लौट पाए पटना से। तड़पे तो वह भी होंगे लेकिन मर्द थे। घर बसा लिया वहीं। हब्बा उम्र भर यों ही तड़पती रही। किस्सा बन गई। पहली आधी बेवा थी वह कश्मीर की। उसे कुछ नहीं चाहिए था। न महल, न सेना, न राजपाट न, सोना...बस अपना युसुफ़ चाहिए था।

सब छीन लो मेरे मौला मुझसे...कुछ न माँगूँगी उम्र भर तुमसे। मर्दों का खेल है सियासत। मैं जाहिल-गरीब औरत सिर झुकाती हूँ, हाथ जोड़ती हूँ, मिन्नतें करती हूँ, पाँव पड़ती हूँ ...ए हिन्दुस्तान, ए पाकिस्तान, ए शहंशाह-ए-हिन्द, शहंशाह-ए-कश्मीर कुछ नहीं चाहिए मुझ ग़रीब को..सब ले लो...बस मेरा शाहिद लौटा दो मुझे। न हो ज़िन्दा तो उसकी लाश ही सही। कम-से-कम उस बदनसीब को कफ़न-दफ़न तो मिले।

इस आधेपन में नहीं जीना चाहती एक दिन भी मैं। मुझे पूरा कर दो मौला...मुझे पूरा कर दो।

❑❑❑

राजपाल एण्ड सन्ज़ की स्थापना एक शताब्दी पूर्व 1912 में लाहौर में हुई थी। आरम्भिक दिनों में अधिकतर धार्मिक, सामाजिक और देश-प्रेम की पुस्तकें प्रकाशित होती थीं और हिन्दी के अतिरिक्त अंग्रेज़ी, उर्दू व पंजाबी भाषा में भी पुस्तकें प्रकाशित की जाती थीं।

1947 में भारत-विभाजन के बाद राजपाल एण्ड सन्ज़ को नए सिरे से दिल्ली में स्थापित किया गया और साहित्यिक पुस्तकों के प्रकाशन का आरम्भ हुआ। रामधारी सिंह दिनकर, महादेवी वर्मा, बच्चन, अज्ञेय, शिवानी, आचार्य चतुरसेन, विष्णु प्रभाकर, राजेन्द्र यादव, मोहन राकेश, रांगेय राघव, कमलेश्वर और अन्य साहित्यिक लेखकों की कृतियाँ यहाँ से प्रकाशित होने लगीं। राजपाल एण्ड सन्ज़ से प्रकाशित *मधुशाला, कुरुक्षेत्र, मानस का हंस, आवारा मसीहा, कितने पाकिस्तान, आषाढ़ का एक दिन* जैसी पुस्तकें हिन्दी साहित्य की 'क्लासिक पुस्तकें' मानी जाती हैं और आज भी लोकप्रियता के शिखर पर हैं। भारत के राष्ट्रपतियों और प्रधानमंत्रियों की पुस्तकें प्रकाशित करने का गौरव भी राजपाल एण्ड सन्ज़ को प्राप्त है। नोबेल पुरस्कार से सम्मानित अर्थशास्त्री डॉ. अमर्त्य सेन की सभी पुस्तकों के हिन्दी अनुवाद यहाँ से प्रकाशित हैं। अन्तरराष्ट्रीय चर्चित पुस्तकों के अनुवाद, विश्वविख्यात कोशकार डॉ. हरदेव बाहरी द्वारा सम्पादित 'राजपाल' शब्दकोशों की श्रृंखला और किशोरों के लिए सैकड़ों पुस्तकें राजपाल एण्ड सन्ज़ से प्रकाशित हुई हैं।

पाठकों के स्वस्थ और सुरुचिपूर्ण मनोरंजन और ज्ञानवर्धन के लिए समर्पित राजपाल एण्ड सन्ज़ से हिन्दी और अंग्रेज़ी में पुस्तकें प्रकाशित होती हैं जो देश के सभी बड़े पुस्तक-विक्रेताओं और विश्व भर के ऑनलाइन विक्रेताओं के यहाँ उपलब्ध हैं।

राजपाल एण्ड सन्ज़

1590 मदरसा रोड, कश्मीरी गेट, दिल्ली-6, फोन: 011-23869812, 23865483
email: sales@rajpalpublishing.com, facebook: facebook.com/rajpalandsons
website: www.rajpalpublishing.com